P9-DJU-438

ŒUVRES DE MILAN KUNDERA

Aux Éditions Gallimard

Traduit du tchèque :

LA PLAISANTERIE, *roman.*

RISIBLES AMOURS, *nouvelles.*

LA VIE EST AILLEURS, *roman.*

LA VALSE AUX ADIEUX, *roman.*

LE LIVRE DU RIRE ET DE L'OUBLI, *roman.*

L'INSOUTENABLE LÉGÈRETÉ DE L'ÊTRE, *roman.*
Entre 1985 et 1987 les traductions des ouvrages ci-dessus ont été entièrement revues par l'auteur et, dès lors, ont la même valeur d'authenticité que le texte tchèque.

L'IMMORTALITÉ, *roman.*
La traduction de *L'Immortalité,* entièrement revue par l'auteur, a la même valeur d'authenticité que le texte tchèque.

Écrit en français :

JACQUES ET SON MAÎTRE, HOMMAGE À DENIS DIDEROT, *théâtre.*

L'ART DU ROMAN, *essai.*

LES TESTAMENTS TRAHIS, *essai.*

LA LENTEUR, *roman.*

SUR L'ŒUVRE DE MILAN KUNDERA

Maria Nemcova Banerjee : PARADOXES TERMINAUX.

Kvetoslav Chvatik : LE MONDE ROMANESQUE DE MILAN KUNDERA.

LA LENTEUR

MILAN KUNDERA

LA LENTEUR

roman

nrf

GALLIMARD

Il a été tiré de l'édition originale de cet ouvrage cinquante exemplaires sur vergé blanc de Hollande numérotés de 1 à 50.

1

L'envie nous a pris de passer la soirée et la nuit dans un château. Beaucoup, en France, sont devenus des hôtels : un carré de verdure perdu dans une étendue de laideur sans verdure ; un petit morceau d'allées, d'arbres, d'oiseaux au milieu d'un immense filet de routes. Je conduis et, dans le rétroviseur, j'observe une voiture derrière moi. La petite lumière à gauche clignote et toute la voiture émet des ondes d'impatience. Le chauffeur attend l'occasion pour me doubler ; il guette ce moment comme un rapace guette un moineau.

Véra, ma femme, me dit : « Toutes les cinquante minutes un homme meurt sur les routes de France. Regarde-les, tous ces fous qui roulent autour de nous. Ce sont les mêmes qui savent être si extraordinairement prudents quand on dévalise sous leurs yeux une vieille femme dans la rue. Comment se fait-il qu'ils n'aient pas peur quand ils sont au volant ? »

Que répondre ? Peut-être ceci : l'homme penché sur sa motocyclette ne peut se concentrer que sur la seconde présente de son vol ; il s'accroche à un fragment de temps coupé et du passé et de l'avenir ; il est arraché à la continuité du temps ; il est en dehors du temps ; autrement dit, il est dans un état d'extase ; dans cet état, il ne sait rien de son âge, rien de sa femme, rien de ses enfants, rien de ses soucis et, partant, il n'a pas peur, car la source de la peur est dans l'avenir, et qui est libéré de l'avenir n'a rien à craindre.

La vitesse est la forme d'extase dont la révolution technique a fait cadeau à l'homme. Contrairement au motocycliste, le coureur à pied est toujours présent dans son corps, obligé sans cesse de penser à ses ampoules, à son essoufflement ; quand il court il sent son poids, son âge, conscient plus que jamais de lui-même et du temps de sa vie. Tout change quand l'homme délègue la faculté de vitesse à une machine : dès lors, son propre corps se trouve hors du jeu et il s'adonne à une vitesse qui est incorporelle, immatérielle, vitesse pure, vitesse en elle-même, vitesse extase.

Curieuse alliance : la froide impersonnalité de la

technique et les flammes de l'extase. Je me rappelle cette Américaine qui, il y a trente ans, mine sévère et enthousiaste, sorte d'apparatchik de l'érotisme, m'a donné une leçon (glacialement théorique) sur la libération sexuelle ; le mot qui revenait le plus souvent dans son discours était le mot orgasme ; j'ai compté : quarante-trois fois. Le culte de l'orgasme : l'utilitarisme puritain projeté dans la vie sexuelle ; l'efficacité contre l'oisiveté ; la réduction du coït à un obstacle qu'il faut dépasser le plus vite possible pour arriver à une explosion extatique, seul vrai but de l'amour et de l'univers.

Pourquoi le plaisir de la lenteur a-t-il disparu ? Ah, où sont-ils, les flâneurs d'antan ? Où sont-ils, ces héros fainéants des chansons populaires, ces vagabonds qui traînent d'un moulin à l'autre et dorment à la belle étoile ? Ont-ils disparu avec les chemins champêtres, avec les prairies et les clairières, avec la nature ? Un proverbe tchèque définit leur douce oisiveté par une métaphore : ils contemplent les fenêtres du bon Dieu. Celui qui contemple les fenêtres du bon Dieu ne s'ennuie pas ; il est heureux. Dans notre monde, l'oisiveté s'est transformée en désœuvrement, ce qui est tout autre chose : le désœuvré est frustré, s'ennuie, est à la recherche constante du mouvement qui lui manque.

Je regarde dans le rétroviseur : toujours la même voiture qui ne peut me doubler à cause de la circulation en sens inverse. À côté du chauffeur est assise une femme ; pourquoi l'homme ne lui raconte-t-il pas quelque chose de drôle ? pourquoi ne pose-t-il pas la paume sur son genou ? Au lieu de cela il maudit l'automobiliste qui, devant lui, ne roule pas assez vite, et la femme ne pense pas non plus à toucher le chauffeur de la main, elle conduit mentalement avec lui et me maudit elle aussi.

Et je pense à cet autre voyage de Paris vers un château de campagne, qui a eu lieu il y a plus de deux cents ans, le voyage de madame de T. et du jeune chevalier qui l'accompagnait. C'est la première fois qu'ils sont si près l'un de l'autre, et l'indicible ambiance sensuelle qui les entoure naît justement de la lenteur de la cadence : balancés par le mouvement du carrosse, les deux corps se touchent, d'abord à leur insu, puis à leur su, et l'histoire se noue.

2

Voici ce que raconte la nouvelle de Vivant Denon : un gentilhomme de vingt ans se trouve un soir au théâtre. (Ni son nom ni son titre ne sont mentionnés mais je l'imagine chevalier.) Dans la loge voisine il voit une dame (la nouvelle ne donne que la première lettre de son nom : madame de T.) ; c'est une amie de la comtesse dont le chevalier est l'amant. Elle le requiert de l'accompagner après le spectacle. Surpris par ce comportement décidé, et d'autant plus confondu qu'il connaît le favori de madame de T., un certain Marquis (nous n'apprendrons pas son nom ; nous sommes entrés dans le monde du secret, là où il n'y a pas de noms), le chevalier, sans rien comprendre, se retrouve dans le carrosse à côté de la belle dame. Après un voyage doux et agréable, la voiture s'arrête à la campagne, devant le perron du château où, maussade, le mari de madame de T. les reçoit. Ils dînent à trois dans une ambiance taciturne et sinistre, puis le mari les prie de l'excuser et les laisse seuls.

À ce moment leur nuit commence : une nuit composée comme un triptyque, une nuit tel un parcours en trois étapes : d'abord, ils se promènent dans le parc ; ensuite, ils font l'amour dans un pavillon ; enfin, ils continuent à s'aimer dans un cabinet secret du château.

Au petit matin, ils se séparent. Ne pouvant trouver sa chambre dans le labyrinthe de couloirs, le chevalier retourne dans le parc où, étonné, il rencontre le Marquis, celui-là même qu'il sait être l'amant de madame de T. Le Marquis, qui vient d'arriver au château, le salue gaiement et lui apprend la raison de la mystérieuse invitation : madame de T. avait besoin d'un paravent afin que lui, le Marquis, restât insoupçonné aux yeux du mari. Se réjouissant que la mystification ait réussi, il se gausse du chevalier obligé de remplir la mission fort ridicule de faux amant. Celui-ci, fatigué après la nuit d'amour, repart pour Paris dans la chaise que lui offre le Marquis reconnaissant.

Intitulée *Point de lendemain,* la nouvelle fut publiée pour la première fois en 1777 ; le nom de l'auteur était remplacé (puisque nous sommes dans le monde du secret) par sept majuscules énigmatiques, M.D.G.O.D.R., où l'on peut lire, si l'on veut : « M. Denon, Gentilhomme Ordinaire du Roi. » Puis, avec un tirage minuscule, et tout à fait anonymement, elle fut republiée en 1779, avant de reparaître l'année suivante sous le nom d'un autre écrivain. De nouvelles éditions virent le jour en 1802 et en 1812, toujours sans le vrai nom d'auteur ; enfin, après un oubli qui dura un demi-siècle, elle reparut en 1866. À partir de là elle fut attribuée à Vivant Denon et, au cours de notre siècle, gagna une gloire toujours croissante. Elle compte aujourd'hui parmi les ouvrages littéraires qui semblent représenter le mieux l'art et l'esprit du XVIIIᵉ siècle.

3

Dans le langage de tous les jours, la notion d'hédonisme désigne un penchant amoral pour la vie jouisseuse, sinon vicieuse. C'est inexact, bien sûr : Épicure, le premier grand théoricien du plaisir, a compris la vie bienheureuse d'une façon extrêmement sceptique : éprouve du plaisir celui qui ne souffre pas. C'est donc la souffrance qui est la notion fondamentale de l'hédonisme : on est heureux dans la mesure où on sait écarter la souffrance ; et comme les plaisirs apportent souvent plus de malheur que de bonheur, Épicure ne recommande que des plaisirs prudents et modestes. La sagesse épicurienne a un arrière-fond mélancolique : jeté dans la misère du monde, l'homme constate que la seule valeur évidente et sûre est le plaisir, si menu soit-il, qu'il peut lui-même ressentir : une gorgée d'eau fraîche, un regard vers le ciel (vers les fenêtres du bon Dieu), une caresse.

Modestes ou pas, les plaisirs n'appartiennent qu'à celui qui les éprouve, et un philosophe, à juste titre, pourrait reprocher à l'hédonisme son fondement égoïste. Pourtant, selon moi, ce n'est pas l'égoïsme qui est le talon d'Achille de l'hédonisme mais son caractère (oh, pourvu que je me trompe !) désespérément utopique : en effet, je doute que l'idéal hédoniste puisse se réaliser ; je crains que la vie qu'il nous recommande ne soit pas compatible avec la nature humaine.

Le XVIIIᵉ siècle, dans son art, a fait sortir les plaisirs de la brume des interdits moraux ; il a fait naître l'attitude qu'on appelle libertine et qui émane des tableaux de Fragonard, de Watteau, des pages de Sade, de Crébillon fils ou de Duclos. C'est pour cela que mon jeune ami Vincent adore ce siècle et, s'il le pouvait, il porterait comme un insigne sur le revers de sa veste le profil du marquis de Sade. Je partage son admiration mais j'ajoute (sans être vraiment entendu) que la vraie grandeur de cet art ne consiste pas dans une quelconque propagande de l'hédonisme mais dans son analyse. C'est la raison pour laquelle je tiens *Les Liaisons dangereuses* de Choderlos de Laclos pour l'un des plus grands romans de tous les temps.

Ses personnages ne s'occupent de rien d'autre que de la conquête du plaisir. Toutefois, peu à peu le lecteur comprend que c'est moins le plaisir que la conquête qui les tente. Que ce n'est pas le désir de plaisir, mais le désir de victoire qui mène la danse.

Que ce qui apparaît d'abord comme un jeu joyeusement obscène se transforme imperceptiblement et inévitablement en une lutte à la vie et à la mort. Mais la lutte, qu'a-t-elle de commun avec l'hédonisme ? Épicure a écrit : « L'homme sage ne cherche aucune activité liée à la lutte. »

La forme épistolaire des *Liaisons dangereuses* n'est pas un simple procédé technique qui pourrait être remplacé par un autre. Cette forme est éloquente en elle-même et nous dit que tout ce que les personnages ont vécu, ils l'ont vécu pour le raconter, le transmettre, le communiquer, le confesser, l'écrire. Dans un tel monde où tout se raconte, l'arme à la fois la plus facilement accessible et la plus mortelle est la divulgation. Valmont, le héros du roman, adresse à la femme qu'il a séduite une lettre de rupture qui la détruira ; or, c'est son amie, la marquise de Merteuil, qui la lui a dictée mot à mot. Plus tard cette même Merteuil, par vengeance, montre une lettre confidentielle de Valmont à son rival ; celui-ci le provoquera en duel et Valmont mourra. Après sa mort, la correspondance intime entre lui et Merteuil sera divulguée et la marquise finira sa vie dans le mépris, traquée et bannie.

Rien dans ce roman ne demeure le secret exclusif de deux êtres ; tout le monde semble se trouver à l'intérieur d'une immense coquille sonore où chaque mot soufflé résonne, amplifié, en de multiples et interminables échos. On me disait quand j'étais petit qu'en posant un coquillage contre mon oreille j'entendrais l'immémorial murmure de la mer. C'est ainsi que dans le monde laclosien toute parole prononcée reste audible pour toujours. Est-ce cela, le XVIIIe siècle? Est-ce cela, le paradis du plaisir? Ou bien l'homme, sans s'en rendre compte, vit-il depuis toujours dans une telle coquille résonnante? En tout cas, une coquille résonnante, ce n'est pas le monde d'Épicure qui ordonne à ses disciples : « Tu vivras caché! »

4

L'homme de la réception est gentil, plus gentil qu'on ne l'est d'ordinaire à la réception des hôtels. Se souvenant que nous sommes venus ici il y a deux ans, il nous prévient que beaucoup de choses ont changé depuis. On a aménagé une salle de conférences pour différentes sortes de séminaires et construit une belle piscine. Curieux de la voir, nous traversons un hall très clair, de grandes baies donnant sur le parc. Au bout du hall, un large escalier descend vers la piscine, grande, carrelée, avec un plafond vitré. Véra me rappelle : « La dernière fois, à cet endroit il y avait un petit jardin de roses. »

Nous nous installons dans notre chambre puis sortons dans le parc. Les terrasses vertes descendent en direction de la rivière, la Seine. C'est beau, nous sommes émerveillés, désireux de faire une longue balade. Après quelques minutes une route surgit où filent des voitures ; nous rebroussons chemin.

Le dîner est excellent, tout le monde bien habillé comme si l'on voulait rendre hommage au temps passé dont le souvenir tremble sous le plafond de la salle. À côté de nous se sont installés des parents avec leurs deux enfants. L'un d'eux chante à haute voix. Le serveur se penche au-dessus de leur table avec un plateau. La mère le dévisage fixement, voulant l'inciter à prononcer un éloge de l'enfant qui, fier d'être observé, se met debout sur sa chaise et hausse encore la voix. Sur le visage du père apparaît un sourire de bonheur.

Un magnifique bordeaux, du canard, un dessert — secret de la maison —, nous bavardons, comblés et insouciants. Puis, de retour dans la chambre, j'allume pour un instant le téléviseur. Là, encore des enfants. Cette fois-ci, ils sont noirs et mourants. Notre séjour au château coïncide avec l'époque où, pendant des semaines, tous les jours, on a montré les enfants d'un pays africain au nom déjà oublié (tout cela s'est passé il y a au moins deux ou trois ans, comment retenir tous ces noms !), ravagé par une guerre civile et par la famine. Les enfants sont maigres, épuisés, n'ayant plus la force de faire un geste pour chasser les mouches qui se promènent sur leurs visages.

Véra me dit : « Est-ce qu'il y a aussi des vieux qui meurent dans ce pays ? »

Non, non, ce qui a été si intéressant dans cette famine-là, ce qui l'a rendue unique parmi les millions de famines qui ont eu lieu sur cette terre, c'est qu'elle fauchait seulement des enfants. Nous n'avons vu aucun adulte souffrir sur l'écran même si nous avons regardé les informations tous les jours, précisément pour confirmer cette circonstance jamais vue.

Il est donc tout à fait normal que non pas des adultes mais des enfants se soient révoltés contre cette cruauté des vieux et, avec toute la spontanéité qui leur est propre, aient lancé la campagne célèbre « les enfants d'Europe envoient du riz pour les enfants de Somalie ». La Somalie ! Mais bien sûr ! Ce fameux slogan m'a fait retrouver le nom perdu ! Ah, quel dommage que tout cela soit déjà oublié ! Ils ont acheté des paquets de riz, une quantité infinie de paquets. Les parents, impressionnés par ce sentiment de solidarité planétaire qui habitait leurs petits, ont offert de l'argent, et toutes les institutions ont apporté leur aide ; le riz a été rassemblé dans les écoles, transporté jusqu'aux ports, embarqué sur des bateaux en direction de l'Afrique et tout le monde a pu suivre la glorieuse épopée du riz.

Immédiatement après les enfants mourants, l'écran est envahi par des fillettes de six, huit ans, elles sont habillées comme des adultes et se comportent à la manière sympathique des vieilles coquettes, oh c'est si charmant, si émouvant, si drôle quand les enfants agissent comme des adultes, les fillettes et les petits garçons s'embrassent sur la bouche, puis surgit un homme qui tient un nourrisson dans les bras et, pendant qu'il nous explique la meilleure façon de laver le linge que son bébé vient de souiller, une belle femme s'approche, entrouvre la bouche et en fait sortir une langue terriblement sensuelle qui se met à pénétrer la bouche terriblement bonasse du porteur de nourrisson.

« On va dormir », dit Véra, et elle éteint le téléviseur.

5

Les enfants français accourant pour apporter de l'aide à leurs petits camarades africains évoquent toujours pour moi le visage de l'intellectuel Berck. C'étaient alors ses jours de gloire. Comme c'est souvent le cas avec la gloire, la sienne a été provoquée par un échec : souvenons-nous : dans les années quatre-vingt de notre siècle, le monde fut frappé par l'épidémie d'une maladie nommée sida, qui se transmettait pendant le contact amoureux et, au début, sévissait surtout parmi les homosexuels. Pour s'élever contre les fanatiques qui voyaient dans l'épidémie un juste châtiment divin et évitaient les malades comme des pestiférés, les esprits tolérants leur manifestaient de la fraternité et essayaient de prouver qu'il n'y avait aucun danger à les fréquenter. Ainsi le député Duberques et l'intellectuel Berck déjeunèrent-ils dans un célèbre restaurant parisien avec un groupe de sidéens ; le repas se passa dans une excellente atmosphère et, afin de ne manquer aucune occasion de donner le bon exemple, le député Duberques avait invité les caméras à l'heure du dessert. Dès qu'elles apparurent sur le seuil, il se leva, s'approcha d'un malade, le souleva de sa chaise et l'embrassa sur sa bouche encore pleine de mousse au chocolat. Berck fut pris au dépourvu. Il comprit immédiatement qu'une fois photographié et filmé, le grand baiser de Duberques deviendrait immortel ; il se leva et réfléchit intensément pour savoir s'il devait lui aussi aller embrasser un sidéen. Dans la première phase de sa réflexion, il écarta cette tentation parce qu'au fond de son âme il n'était pas entièrement sûr que le contact avec la bouche malade ne fût pas contagieux ; dans la phase suivante, il se décida à surmonter sa circonspection, jugeant que la photo de son baiser valait le risque ; mais dans la troisième phase une idée l'arrêta dans sa course vers la bouche séropositive : s'il embrassait lui aussi un malade, il ne deviendrait pas pour autant l'égal de Duberques, au contraire, il serait ravalé au rang d'un pasticheur, d'un suiveur, voire d'un serviteur qui, par une imitation précipitée, ajouterait encore du lustre à la gloire de l'autre. Il se contenta donc de rester debout et de sourire niaisement. Mais ces quelques secondes d'hésitation lui coûtèrent cher car la caméra était là et, au journal télévisé, toute la France lut sur son visage les trois phases de son embarras et ricana. Les enfants collectant les paquets de riz pour la Somalie lui vinrent donc en aide au bon moment. Il profita de chaque occasion pour lancer au public la belle sentence « seuls les enfants vivent dans la vérité ! », puis alla en Afrique et se fit photographier à côté d'une fillette noire mourante, au visage couvert de mouches. La photo devint fameuse dans le monde entier, beaucoup plus que celle de Duberques embrassant un malade du sida car un enfant qui meurt a une plus grande valeur qu'un adulte qui meurt, évidence qui à cette époque-là échappait encore à Duberques. Celui-ci ne se sentit pourtant pas vaincu et, quelques jours après, il apparut à la télévision ; chrétien pratiquant, il savait Berck athée, ce qui lui donna l'idée de prendre avec lui une bougie, arme devant laquelle même les incroyants les plus durs inclinent la tête ; pendant l'entrevue avec le journaliste il la sortit de sa poche et l'alluma ; voulant jeter perfidement le discrédit sur les soucis que Berck s'était faits pour les pays exotiques, il parla des pauvres enfants de chez nous, de nos villages, de nos banlieues, et invita ses concitoyens à descendre dans la rue, chacun une bougie à la main, pour une grande marche à travers Paris en signe de solidarité avec les enfants souffrants ; sur quoi il invita nommément Berck (avec une hilarité cachée) à se ranger à son côté en tête du cortège. Berck dut choisir : ou bien participer à la marche avec une bougie comme un enfant de chœur de Duberques, ou bien s'esquiver et s'exposer aux blâmes. C'était un piège auquel il lui fallut échapper par un acte aussi audacieux qu'inattendu : il décida de s'envoler illico vers un pays asiatique où le peuple se révoltait et d'y crier haut et clair son soutien aux opprimés ; hélas, la géographie avait toujours été son point faible ; le monde se divisait pour lui entre la France et la Non-France aux provinces obscures qu'il confondait toujours ; ainsi débarqua-t-il dans un autre pays ennuyeusement paisible dont l'aéroport en montagne était glacial et mal desservi ; il dut y rester huit jours à attendre qu'un avion le ramenât, affamé et grippé, à Paris.

« Berck est le roi martyr des danseurs », commenta Pontevin.

Le concept de danseur n'est connu que d'un petit cercle d'amis de Pontevin. C'est sa grande invention, et on peut regretter qu'il ne l'ait jamais développée dans un livre ni imposée comme sujet de colloques internationaux. Mais il se fiche de la renommée publique. Ses amis l'écoutent avec d'autant plus d'attention amusée.

6

Tous les hommes politiques d'aujourd'hui, selon Pontevin, sont un peu danseurs, et tous les danseurs se mêlent de politique, ce qui, toutefois, ne devrait pas nous amener à les confondre. Le danseur se distingue de l'homme politique ordinaire en ceci qu'il ne désire pas le pouvoir mais la gloire ; il ne désire pas imposer au monde telle ou telle organisation sociale (il s'en soucie comme d'une guigne) mais occuper la scène pour faire rayonner son moi.

Pour occuper la scène il faut en repousser les autres. Ce qui suppose une technique de combat spéciale. Le combat que mène le danseur, Pontevin l'appelle le *judo moral* ; le danseur jette le gant au monde entier : qui est capable de se montrer plus moral (plus courageux, plus honnête, plus sincère, plus disposé au sacrifice, plus véridique) que lui ? Et il manie toutes les prises qui lui permettent de mettre l'autre dans une situation moralement inférieure.

Si un danseur a la possibilité d'entrer dans le jeu politique, il refusera ostensiblement toutes les négociations secrètes (qui sont depuis toujours le terrain de jeu de la vraie politique) en les dénonçant comme mensongères, malhonnêtes, hypocrites, sales ; il avancera ses propositions publiquement, sur une estrade, en chantant, en dansant, et appellera nommément les autres à le suivre dans son action ; j'insiste : non pas discrètement (pour donner à l'autre le temps de réfléchir, de discuter des contrepropositions) mais publiquement, et si possible par surprise : « Êtes-vous prêt tout de suite (comme moi) à renoncer à votre salaire du mois de mars au profit des enfants de Somalie ? » Surpris, les gens n'auront que deux possibilités : ou bien refuser et ainsi se discréditer en tant qu'ennemis des enfants, ou bien dire « oui » dans un terrible embarras que la caméra devra malicieusement montrer comme elle a montré les hésitations du pauvre Berck à la fin du déjeuner avec les sidéens. « Pourquoi vous taisez-vous, docteur H., alors que les droits de l'homme sont bafoués dans votre pays ? » On posa cette question au docteur H. au moment où, en train d'opérer un malade, il ne pouvait répondre ; mais après avoir recousu le ventre coupé, il fut saisi d'une telle honte pour son silence qu'il débita tout ce qu'on avait voulu entendre de lui et encore plus ; après quoi le danseur qui l'avait harangué (et c'est une autre prise du judo moral, spécialement terrible) lâcha : « Enfin. Même si c'est un peu tard... »

Il peut arriver des situations (dans les régimes dictatoriaux, par exemple) où prendre publiquement position est dangereux ; pour le danseur ce l'est pourtant un peu moins que pour les autres, car, s'étant promené sous la lumière des projecteurs, visible de partout, il est protégé par l'attention du monde ; mais il a ses admirateurs anonymes qui, obéissant à son appel aussi splendide qu'irréfléchi, signent des pétitions, participent à des réunions interdites, manifestent dans la rue ; ceux-là seront traités sans ménagement et le danseur ne cédera jamais à la tentation sentimentale de se reprocher d'avoir causé leur malheur, sachant qu'une noble cause pèse plus que la vie d'un tel ou un tel.

Vincent objecte à Pontevin : « Il est bien connu que tu exècres Berck et nous te suivons. Pourtant, même si c'est un con, il a soutenu des causes que nous aussi considérons comme justes, ou bien, si tu veux, sa vanité les a soutenues. Et je te demande : si tu veux intervenir dans un conflit public, attirer l'attention sur une abomination, aider un persécuté, comment peux-tu, à notre époque, ne pas être ou paraître danseur ? »

Ce à quoi le mystérieux Pontevin répond : « Tu te trompes si tu penses que je voulais attaquer les danseurs. Je les défends. Celui qui éprouve de l'aversion pour les danseurs et veut les dénigrer se heurtera toujours à un obstacle infranchissable : leur honnêteté ; car en s'exposant constamment au public, le danseur se condamne à être irréprochable ; il n'a pas conclu comme Faust un contrat avec le Diable, il l'a conclu avec l'Ange : il veut faire de sa vie une œuvre d'art et c'est dans ce travail que l'Ange l'aide ; car, n'oublie pas, la danse est un art ! C'est dans cette obsession de voir en sa propre vie la matière d'une œuvre d'art que se trouve la vraie essence du danseur ; il ne prêche pas la morale, il la danse ! Il veut émouvoir et éblouir le monde par la beauté de sa vie ! Il est amoureux de sa vie comme un sculpteur peut être amoureux de la statue qu'il est en train de modeler. »

7

Je me demande pourquoi Pontevin ne rend pas publiques des idées si intéressantes. Il n'a pourtant pas grand-chose à faire, cet historien docteur ès lettres qui s'ennuie dans son bureau à la Bibliothèque nationale. Il s'en fiche de faire connaître ses théories ? C'est peu dire : il a cela en horreur. Celui qui rend ses idées publiques risque en effet de persuader les autres de sa vérité, de les influencer, et ainsi de se trouver dans le rôle de ceux qui aspirent à changer le monde. Changer le monde ! Pour Pontevin, quelle intention monstrueuse ! Non pas que le monde tel qu'il est soit si admirable mais parce que tout changement conduit inéluctablement vers le pire. Et parce que, d'un point de vue plus égoïste, toute idée rendue publique se retournera tôt ou tard contre son auteur et lui confisquera le plaisir qu'il a eu de l'avoir pensée. Car Pontevin est un des grands disciples d'Épicure : il invente et développe ses idées seulement parce que cela lui fait plaisir. Il ne méprise pas l'humanité, qui est pour lui une source inépuisable de réflexions joyeusement malicieuses, mais il n'éprouve pas la moindre envie d'entrer en contact trop étroit avec elle. Il est entouré d'une bande de copains qui se rencontrent au Café gascon, et ce petit échantillon de l'humanité lui suffit.

Parmi ces copains, Vincent est le plus innocent et le plus touchant. Il a toute ma sympathie et je ne lui reproche (avec un peu de jalousie, il est vrai) que l'adoration juvénile, et selon moi outrée, qu'il voue à Pontevin. Mais même cette amitié a quelque chose de touchant. Puisqu'ils parlent d'un tas de sujets qui le captivent, de philosophie, de politique, de livres, Vincent est heureux d'être seul avec lui ; il déborde d'idées curieuses et provocatrices, et Pontevin, captivé lui aussi, corrige son disciple, l'inspire, l'encourage. Mais il suffit qu'un tiers arrive pour que Vincent devienne malheureux car, aussitôt, Pontevin se transforme : il parle plus fort et devient amusant, trop amusant au goût de Vincent.

Par exemple : ils sont seuls au café et Vincent lui demande : « Que penses-tu vraiment de ce qui se passe en Somalie ? » Pontevin, patiemment, lui fait toute une conférence sur l'Afrique. Vincent soulève des objections, ils discutent, peut-être plaisantent-ils aussi, mais sans vouloir briller, seulement pour s'accorder quelques instants de détente pendant une conversation on ne peut plus sérieuse.

Arrive Machu accompagné d'une belle inconnue. Vincent veut continuer la discussion : « Mais dis-moi, Pontevin, ne penses-tu pas te tromper en prétendant que... » et il développe une intéressante polémique contre les théories de son ami.

Pontevin fait une longue pause. Il est le maître des longues pauses. Il sait que seuls les timides en ont peur et qu'ils se précipitent, quand ils ne savent que répondre, dans des phrases embarrassées qui les ridiculisent. Pontevin sait se taire si souverainement que même la Voie lactée, impressionnée par son silence, attend, impatiente, la réponse. Sans souffler mot, il regarde Vincent qui, on ne sait pourquoi, baisse pudiquement les yeux, puis, souriant, il regarde la dame et, encore une fois, se tourne vers Vincent, les yeux lourds de feinte sollicitude : « Ta façon d'insister, en présence d'une dame, sur des pensées si exagérément brillantes témoigne d'un inquiétant reflux de ta libido. »

Sur le visage de Machu apparaît son fameux sourire d'idiot, la belle dame promène sur Vincent un regard condescendant et amusé, et Vincent est tout rouge ; il se sent blessé : un ami, qui il y a une minute était plein d'attention pour lui, tout d'un coup est prêt à le plonger dans le malaise à seule fin d'épater une femme.

Puis, d'autres amis arrivent, s'assoient, bavardent ; Machu raconte des anecdotes ; par de petites remarques sèches, Goujard exhibe son érudition livresque ; quelques femmes font retentir leur rire. Pontevin se tient silencieux ; il attend ; après avoir suffisamment laissé mûrir son silence, il dit : « Ma petite amie ne cesse de vouloir de moi un comportement brutal. »

Mon Dieu, comme il sait le dire. Même les gens des tables voisines se sont tus et l'écoutent ; le rire frissonne dans l'air, impatient. Qu'y a-t-il de si drôle dans le fait que son amie veuille de lui un comportement brutal ? Tout doit résider dans le sortilège de la voix, et Vincent ne peut s'empêcher de se sentir jaloux vu que la sienne, comparée à celle de Pontevin, est comme un pauvre fifre qui s'évertue à rivaliser avec un violoncelle. Pontevin parle doucement sans jamais forcer sa voix qui pourtant remplit toute la salle et rend inaudibles les autres bruits du monde.

Il continue : « Comportement brutal... Mais je n'en suis pas capable ! Je ne suis pas brutal ! Je suis trop fin ! »

Le rire frissonne toujours dans l'air et, pour savourer ce frissonnement, Pontevin fait une pause.

Puis il dit : « De temps en temps une jeune dactylo vient chez moi. Un jour, pendant la dictée, soudainement, plein de bonne volonté, je l'attrape par les cheveux, la soulève de sa chaise et la tire vers le lit. À mi-chemin je la lâche en éclatant de rire : Oh, quelle bourde, ce n'est pas vous qui m'avez voulu brutal. Oh, excusez-moi, mademoiselle ! »

Tout le café rit, même Vincent qui aime à nouveau son maître.

8

Pourtant, le jour suivant, il lui dit d'un ton de reproche : « Pontevin, tu n'es pas seulement le grand théoricien des danseurs, tu es un grand danseur toi-même. »

Pontevin (un peu embarrassé) : « Tu confonds les concepts. »

Vincent : « Quand on est ensemble, toi et moi, et

que quelqu'un se joint à nous, instantanément l'endroit où on se trouve se divise en deux parties, le nouveau venu et moi sommes au parterre et toi tu danses sur la scène. »

Pontevin : « Je te dis que tu confonds les concepts. Le terme de danseur s'applique exclusivement aux exhibitionnistes de la vie publique. Et la vie publique, je l'abhorre. »

Vincent : « Tu t'es comporté devant cette femme, hier, comme Berck devant une caméra. Tu as voulu attirer toute son attention sur toi. Tu as voulu être le meilleur, le plus spirituel. Et, contre moi, tu as utilisé le plus vulgaire judo des exhibitionnistes. »

Pontevin : « Peut-être le judo des exhibitionnistes. Mais pas le judo moral ! Et c'est la raison pour laquelle tu te trompes en me qualifiant de danseur. Car le danseur veut être plus moral que les autres. Tandis que moi, j'ai voulu paraître pire que toi. »

Vincent : « Le danseur veut paraître plus moral parce que son grand public est naïf et considère les gestes moraux comme beaux. Mais notre petit public est pervers et aime l'amoralité. Tu as donc utilisé contre moi le judo amoral et cela ne contredit nullement ton essence de danseur. »

Pontevin (soudain d'un autre ton, très sincèrement) : « Si je t'ai blessé, Vincent, pardonne-moi. »

Vincent (immédiatement ému par l'excuse de Pontevin) : « Je n'ai rien à te pardonner. Je sais que tu blaguais. »

Ce n'est pas un hasard s'ils se rencontrent au Café gascon. Parmi leurs saints patrons, d'Artagnan est le plus grand : le patron de l'amitié, seule valeur qu'ils tiennent pour sacrée.

Pontevin continue : « Au sens très large du mot (et, en effet, là tu as raison) le danseur est certainement en chacun de nous et je te concède que moi, quand je vois arriver une femme, je suis encore dix fois plus danseur que les autres. Que puis-je faire contre cela ? C'est plus fort que moi. »

Vincent rit amicalement, de plus en plus ému, et Pontevin continue sur un ton de pénitence : « D'ailleurs si je suis, comme tu viens de le reconnaître, le grand théoricien des danseurs, c'est qu'il doit y avoir entre eux et moi un petit quelque chose en commun sans lequel je ne pourrais pas les comprendre. Oui, je te le concède, Vincent. »

À ce stade, d'ami repenti Pontevin redevient théoricien : « Mais rien qu'un petit quelque chose parce que, dans le sens précis où j'utilise ce concept, je n'ai rien à voir avec le danseur. Je trouve non seulement possible mais probable qu'un vrai danseur, un Berck, un Duberques, soit devant une femme dépourvu de toute envie de s'exhiber et de séduire. Il ne lui viendrait pas à l'esprit de raconter une histoire de dactylo qu'il a tirée par les cheveux vers son lit parce qu'il l'avait confondue avec une autre. Car le public qu'il veut séduire, ce ne sont pas quelques femmes concrètes et visibles, mais la grande foule des invisibles ! Écoute, c'est encore un chapitre à élaborer sur la théorie du danseur : l'invisibilité de son public ! C'est là que réside l'effrayante modernité de ce personnage ! Il ne s'exhibe pas devant toi ou devant moi mais devant le monde entier. Et qu'est-ce que le monde entier ? Un infini sans visages ! Une abstraction. »

Au milieu de leur conversation arrive Goujard en compagnie de Machu qui, de la porte, s'adresse à Vincent : « Tu m'as dit que tu étais invité au grand colloque des entomologistes. J'ai une nouvelle pour toi ! Berck y sera. »

Pontevin : « Encore lui ? Il est partout ! »

Vincent : « Qu'est-ce qu'il peut bien avoir à y foutre ? »

Machu : « En tant qu'entomologiste toi-même, tu devrais le savoir. »

Goujard : « Quand il était étudiant, il a fréquenté pendant une année l'École des Hautes

Études Entomologiques. Au cours de ce colloque, on va l'élever au rang d'entomologiste d'honneur. »

Et Pontevin : « Il faut y aller et semer le bordel ! » puis, se tournant vers Vincent : « Tu vas tous nous y introduire en fraude ! »

9

Véra dort déjà ; j'ouvre la fenêtre qui donne sur le parc et je pense au parcours qu'ont effectué madame de T. et son jeune chevalier après être sortis du château dans la nuit, à cet inoubliable parcours en trois étapes.

Première étape : ils se promènent, les bras entrelacés, conversent, puis trouvent un banc sur la pelouse et s'assoient, toujours entrelacés, toujours conversant. La nuit est enlunée, le jardin descend en terrasses vers la Seine dont le murmure se joint au murmure des arbres. Essayons de capter quelques fragments de la conversation. Le chevalier demande un baiser. Madame de T. répond : « Je le veux bien : vous seriez trop fier si je le refusais. Votre amour-propre vous ferait croire que je vous crains. »

Tout ce que dit madame de T. est le fruit d'un art, l'art de la conversation, qui ne laisse aucun geste sans commentaire et travaille son sens ; cette fois-ci, par exemple, elle concède au chevalier le baiser qu'il sollicite, mais après avoir imposé à son consentement sa propre interprétation : si elle se laisse embrasser ce n'est que pour ramener l'orgueil du chevalier à sa juste mesure.

Quand, par un jeu de l'intellect, elle transforme un baiser en acte de résistance, personne n'est dupe, pas même le chevalier, mais il doit pourtant prendre ces propos très au sérieux car ils font partie d'une démarche de l'esprit à laquelle il faut réagir par une autre démarche de l'esprit. La conversation n'est pas un remplissage du temps, au contraire c'est elle qui organise le temps, qui le gouverne et qui impose ses lois qu'il faut respecter.

La fin de la première étape de leur nuit : le baiser qu'elle avait accordé au chevalier pour qu'il ne se sente pas trop fier a été suivi d'un autre, les baisers « se pressaient, ils entrecoupaient la conversation, ils la remplaçaient... » Mais voilà qu'elle se lève et décide de prendre le chemin du retour.

Quel art de la mise en scène ! Après la première confusion des sens, il a fallu montrer que le plaisir d'amour n'est pas encore un fruit mûr ; il a fallu hausser son prix, le rendre plus désirable ; il a fallu créer une péripétie, une tension, un suspense. En retournant vers le château avec le chevalier, madame de T. simule une descente dans le néant, sachant bien qu'au dernier moment elle aura tout le pouvoir de renverser la situation et de prolonger le rendez-vous. Il suffira pour cela d'une phrase, d'une formule comme l'art séculaire de la conversation en connaît des dizaines. Mais par une sorte de conspiration inattendue, par un imprévisible manque d'inspiration, elle est incapable d'en trouver une seule. Elle est comme un acteur qui aurait subitement oublié son texte. Car, en effet, il lui faut connaître le texte ; ce n'est pas comme aujourd'hui où une jeune fille peut dire, tu le veux, moi je le veux, ne perdons pas de temps ! Pour eux, cette franchise demeure derrière une barrière qu'ils ne peuvent franchir en dépit de toutes leurs convictions libertines. Si, ni à l'un ni à l'autre, aucune idée ne vient à temps, s'ils ne trouvent aucun prétexte pour continuer leur promenade, ils seront obligés, par la simple logique de leur silence, de rentrer dans le château et là de prendre congé l'un de l'autre. Plus ils voient tous les deux l'urgence de trouver un prétexte pour s'arrêter et de le nommer à haute voix, et plus leur bouche est comme cousue : toutes les phrases qui pourraient leur venir en aide se cachent devant eux qui désespérément les appellent au secours. C'est pourquoi, arrivés près de la porte du château, « par un mutuel instinct, nos pas se ralentissaient ».

Heureusement, au dernier moment, comme si le souffleur s'était enfin réveillé, elle retrouve son texte : elle attaque le chevalier : « Je suis peu contente de vous... » Enfin, enfin ! Tout est sauvé ! Elle se fâche ! Elle a trouvé le prétexte à une petite colère simulée qui prolongera leur promenade : elle était sincère avec lui ; alors pourquoi ne lui a-t-il pas dit un seul mot de sa bien-aimée, de la Comtesse ? Vite, vite, il faut s'expliquer ! Il faut parler ! La conversation est renouée et ils s'éloignent à nouveau du château par un chemin qui, cette fois-ci, les mènera sans embûches à l'étreinte d'amour.

10

En conversant, madame de T. balise le terrain, prépare la prochaine phase des événements, donne à comprendre à son partenaire ce qu'il doit penser et comment il doit agir. Elle le fait avec finesse, avec élégance, et indirectement, comme si elle parlait d'autre chose. Elle lui fait découvrir la froideur égoïste de la Comtesse afin de le libérer du devoir de fidélité et de le détendre en vue de l'aventure nocturne qu'elle prépare. Elle organise non seulement le futur immédiat mais aussi le futur plus lointain en faisant comprendre au chevalier

sent, ils tombent sur un canapé, ils font l'amour. Mais « tout ceci avait été un peu brusqué. Nous sentîmes notre faute [...] Trop ardent, on est moins délicat. On court à la jouissance en confondant tous les délices qui la précèdent ».

La précipitation qui leur fait perdre la douce lenteur, tous deux la perçoivent immédiatement comme une faute ; mais je ne crois pas que madame de T. en soit surprise, je pense plutôt qu'elle savait cette faute inévitable, fatale, qu'elle s'y attendait et que c'est pour cette raison qu'elle a prémédité l'intermède au pavillon tel un *ritardando* pour freiner, étouffer la vitesse prévisible et prévue des événements afin que, la troisième étape venue, dans un décor nouveau, leur aventure puisse s'épanouir dans toute sa splendide lenteur.

Elle interrompt l'amour au pavillon, sort avec le chevalier, à nouveau elle se promène avec lui, s'assoit sur le banc au milieu de la pelouse, reprend la conversation et l'emmène ensuite au château dans un cabinet secret attenant à son appartement ; c'est le mari qui l'a aménagé, jadis, en temple enchanté de l'amour. Sur le seuil, le chevalier reste ébahi : les glaces qui couvrent tous les murs multiplient leur image de sorte que soudain un cortège infini de couples s'embrassent autour d'eux. Mais ce n'est pas là qu'ils font l'amour ; comme si madame de T.

voulait empêcher une explosion trop puissante des sens et pour prolonger le plus possible le temps de l'excitation, elle l'entraîne vers la pièce contiguë, une grotte plongée dans l'obscurité, toute garnie de coussins ; c'est là seulement qu'ils font l'amour, longtemps et lentement, jusqu'au petit matin.

En ralentissant la course de leur nuit, en la divisant en différentes parties séparées l'une de l'autre, madame de T. a su faire apparaître le menu laps de temps qui leur était imparti comme une petite architecture merveilleuse, comme une forme. Imprimer la forme à une durée, c'est l'exigence de la beauté mais aussi celle de la mémoire. Car ce qui est informe est insaisissable, immémorisable. Concevoir leur rencontre comme une forme fut tout particulièrement précieux pour eux vu que leur nuit devait rester sans lendemain et ne pourrait se répéter que dans le souvenir.

Il y a un lien secret entre la lenteur et la mémoire, entre la vitesse et l'oubli. Évoquons une situation on ne peut plus banale : un homme marche dans la rue. Soudain, il veut se rappeler quelque chose, mais le souvenir lui échappe. À ce moment, machinalement, il ralentit son pas. Par contre, quelqu'un qui essaie d'oublier un incident pénible qu'il vient de vivre accélère à son insu l'allure de sa marche comme s'il voulait vite s'éloigner de ce qui se trouve, dans le temps, encore trop proche de lui.

Dans la mathématique existentielle cette expérience prend la forme de deux équations élémentaires : le degré de la lenteur est directement proportionnel à l'intensité de la mémoire ; le degré de la vitesse est directement proportionnel à l'intensité de l'oubli.

12

Durant la vie de Vivant Denon, ce n'était probablement qu'un petit cercle d'initiés qui le savait l'auteur de *Point de lendemain* ; et le mystère ne fut levé, pour tout le monde et (probablement) définitivement, que très longtemps après sa mort. Le destin de la nouvelle ressemble donc étrangement à l'histoire qu'elle raconte : il fut voilé par la pénombre du secret, de la discrétion, de la mystification, de l'anonymat.

Graveur, dessinateur, diplomate, voyageur, connaisseur en art, enchanteur des salons, homme d'une remarquable carrière, Denon n'a jamais réclamé la propriété artistique de la nouvelle. Non qu'il refusât la gloire, mais celle-ci signifiait alors autre chose ; j'imagine que le public auquel il s'intéressait, qu'il désirait séduire, n'était pas la masse d'inconnus que convoite l'écrivain d'aujourd'hui mais la petite compagnie de ceux qu'il pouvait personnellement connaître et estimer. Le plaisir que lui a causé le succès auprès de ses lecteurs n'est pas très différent de celui qu'il a pu éprouver devant les quelques auditeurs rassemblés autour de lui dans un salon où il brillait.

Il y a la gloire d'avant l'invention de la photographie et celle d'après. Le roi tchèque Vaclav, au XIVe siècle, prenait plaisir à fréquenter les auberges de Prague et à bavarder incognito avec des gens du peuple. Il a eu le pouvoir, la gloire, la liberté. Le prince Charles d'Angleterre n'a aucun pouvoir, aucune liberté mais une immense gloire : ni dans la forêt vierge ni dans sa baignoire cachée dans un bunker au dix-septième sous-sol il ne peut échapper aux yeux qui le poursuivent et le reconnaissent. La gloire lui a dévoré toute sa liberté, et maintenant il sait : seuls les esprits totalement inconscients peuvent aujourd'hui consentir à traîner volontairement derrière eux la casserole de la célébrité.

Vous dites que si le caractère de la gloire change, de toute façon cela ne concerne que quelques privilégiés. Vous vous trompez. Car la gloire ne concerne pas seulement les gens célèbres, elle concerne tout le monde. Aujourd'hui, les gens célèbres se trouvent sur les pages des magazines, sur les écrans de télévision, ils envahissent l'imagination de tout le monde. Et tout le monde se préoccupe, ne serait-ce que dans ses rêves, de la possibilité de devenir l'objet d'une pareille gloire (non pas celle du roi Vaclav qui fréquentait des bistros, mais celle du prince Charles caché dans sa baignoire au dix-septième sous-sol). Cette possibilité suit comme une ombre tout un chacun et change le caractère de sa vie ; car (et c'est une autre définition élémentaire bien connue de la mathématique existentielle) chaque nouvelle possibilité qu'a l'existence, même celle qui est la moins probable, transforme l'existence tout entière.

13

Pontevin serait peut-être moins méchant à son égard s'il était au courant des tracas que l'intellectuel Berck a dû récemment endurer de la part d'une certaine Immaculata, ancienne camarade de classe que, potache, il avait (vainement) convoitée.

Un jour, après une vingtaine d'années, Immaculata vit Berck sur l'écran de la télévision chassant les mouches du visage d'une fillette noire ; cela agit sur elle comme une sorte d'illumination. D'emblée, elle comprit qu'elle l'avait toujours aimé. Le jour même, elle lui écrivit une lettre où elle se réclama de leur « amour innocent » d'antan. Mais Berck se rappelait parfaitement que son amour loin d'être innocent avait été bigrement concupiscent et qu'il s'était senti humilié quand elle l'avait repoussé sans ménagement. C'est d'ailleurs la raison pour laquelle, inspiré par le prénom un peu comique de la bonne portugaise de ses parents, il lui avait donné alors le sobriquet à la fois satirique et mélancolique d'Immaculata, la Non-Souillée. À sa lettre, il réagit mal (chose curieuse, après vingt ans il n'avait pas encore entièrement digéré son ancienne défaite) et ne répondit pas.

Son silence la perturba et dans la lettre suivante elle lui rappela l'étonnante quantité de billets d'amour qu'il lui avait écrits. Dans l'un d'eux, il l'avait appelée « oiseau de nuit qui trouble mes rêves ». Cette phrase, oubliée depuis, lui apparut insupportablement sotte et il trouva discourtois qu'elle la lui eût rappelée. Plus tard, d'après les rumeurs qui lui parvinrent, il comprit que chaque fois qu'il apparaissait à la télévision cette femme qu'il n'avait jamais maculée babillait quelque part au dîner sur l'amour innocent du célèbre Berck qui, autrefois, ne pouvait dormir parce qu'elle troublait ses rêves. Il se sentait nu et sans défense. Pour la première fois de sa vie il éprouva un intense désir d'anonymat.

Dans une troisième lettre elle lui demanda un service ; pas pour elle mais pour sa voisine, une pauvre femme qui avait été très mal soignée dans un hôpital ; non seulement elle avait failli mourir à cause d'une anesthésie mal faite, mais on lui refusait le moindre dédommagement. Si Berck s'occupait si bien des enfants africains, qu'il fît la preuve qu'il était capable de s'intéresser aussi à de simples gens de son pays, même si ceux-ci ne lui offraient aucune occasion de parader à la télévision.

Puis, cette femme lui écrivit elle-même, se réclamant d'Immaculata : « ... vous vous souvenez, Monsieur, cette jeune fille à qui vous avez écrit qu'elle était votre vierge immaculée qui troublait vos nuits ». Est-ce possible !? Est-ce possible !? Courant d'un bout à l'autre de son appartement, Berck hurla et vociféra. Il déchira la lettre, cracha dessus et la jeta à la poubelle.

Un jour il apprit d'un directeur de chaîne qu'une réalisatrice désirait faire un portrait de lui. Avec irritation, il se souvint alors de la remarque ironique sur son désir de parader à la télévision, car la réalisatrice qui voulait le filmer, c'était l'oiseau de nuit lui-même, Immaculata en personne ! Situation fâcheuse : en principe, il considérait comme excellente la proposition de tourner un film sur lui parce qu'il voulait toujours transformer sa vie en œuvre d'art ; mais jusqu'alors l'idée ne lui était pas venue que cette œuvre pourrait appartenir au genre comique ! Face à ce danger subitement révélé il désira tenir Immaculata le plus loin possible de sa vie et pria le directeur (qui fut tout étonné par sa modestie) d'ajourner ce projet, trop précoce pour quelqu'un de si jeune et si peu important que lui.

14

Cette histoire m'en rappelle une autre que j'ai la chance de connaître grâce à la bibliothèque qui couvre tous les murs de l'appartement de Goujard. Une fois que je me plaignais de mon spleen devant lui, il me montra une étagère portant une inscription de sa propre main : *chefs-d'œuvre d'humour involontaire* et, avec un sourire malin, en retira un livre qu'avait écrit, en 1972, une journaliste parisienne sur son amour pour Kissinger, si vous vous rappelez encore le nom du plus fameux homme politique de cette époque, conseiller du président Nixon, architecte de la paix entre l'Amérique et le Vietnam.

Voici l'histoire : elle joint Kissinger à Washington pour faire une interview avec lui, d'abord pour une revue, puis pour la télévision. Ils ont plusieurs rendez-vous mais sans jamais franchir les limites des rapports strictement professionnels : un ou deux dîners pour préparer l'émission, quelques visites à son bureau de la Maison-Blanche, dans sa maison privée, seule, puis entourée d'une équipe, etc. Peu à peu, Kissinger la prend en grippe. Il n'est pas dupe, il sait de quoi il retourne, et pour la tenir à distance il lui fait des remarques éloquentes sur l'attirance qu'a le pouvoir auprès des femmes et sur sa fonction qui l'oblige à renoncer à toute vie privée.

Elle rapporte avec une touchante sincérité toutes ces dérobades qui, d'ailleurs, ne la décourageaient pas vu sa conviction inébranlable qu'ils étaient destinés l'un à l'autre : se montre-t-il prudent et méfiant ? cela ne la surprend pas : elle sait bien ce qu'il faut penser des horribles femmes qu'il a connues auparavant ; elle est sûre qu'au moment où il comprendra à quel point elle l'aime, il perdra ses angoisses, abandonnera ses précautions. Ah, elle est tellement sûre de la pureté de son propre amour ! Elle pourrait le jurer : il ne s'agit pas le moins du monde d'une obsession érotique de sa part. « Sexuellement, il me laissait indifférente », écrit-elle et elle répète plusieurs fois (avec un curieux

51

sadisme maternel) : qu'il s'habille mal ; qu'il n'est pas beau ; qu'il a mauvais goût en ce qui concerne les femmes ; « comme il devait être mauvais amant », juge-t-elle tout en se proclamant d'autant plus amoureuse. Elle a deux enfants, lui aussi, elle planifie, sans qu'il s'en doute, des vacances communes sur la Côte d'Azur et se réjouit que les deux petits Kissinger puissent ainsi apprendre agréablement le français.

Un jour, elle envoie son équipe de cinéastes filmer l'appartement de Kissinger qui, ne pouvant plus se maîtriser, les chasse comme une bande d'importuns. Une autre fois, il la convoque dans son bureau et lui dit, d'une voix exceptionnellement sévère et froide, qu'il ne supportera plus la façon équivoque dont elle se comporte à son égard. D'abord, elle est au comble du désespoir. Mais, très vite, elle commence à se dire : aucun doute, on la juge politiquement dangereuse et Kissinger a reçu du contre-espionnage l'instruction de ne plus la fréquenter ; le bureau où ils se trouvent est truffé de micros et il le sait ; ses phrases si incroyablement cruelles, ce n'est donc pas à elle qu'elles sont destinées mais aux invisibles flics qui les écoutent. Elle le regarde avec un sourire compréhensif et mélancolique ; la scène lui semble illuminée d'une beauté tragique (c'est l'adjectif qu'elle utilise toujours) : il est forcé de lui assener les coups et en même temps, par ses regards, il lui parle d'amour.

Goujard rit, mais je lui dis : l'évidente vérité de la situation réelle qui transparaît derrière la rêverie de l'amoureuse est moins importante qu'il ne pense, ce n'est qu'une vérité mesquine, terre à terre, qui pâlit face à une autre, plus élevée et qui résistera au temps : la vérité du Livre. Déjà, lors de son premier rendez-vous avec son idole, ce livre trônait là, invisible, sur une petite table entre eux, étant, dès cet instant, le but inavoué et inconscient de toute son aventure. Le livre ? Pour quoi faire ? Pour tracer un portrait de Kissinger ? Mais non, elle n'avait absolument rien à dire sur lui ! Ce qui lui tenait à cœur, c'était sa propre vérité sur elle-même. Elle ne désirait pas Kissinger, encore moins son corps (« comme il devait être mauvais amant »); elle désirait élargir son moi, le faire sortir du cercle étroit de sa vie, le faire resplendir, le transformer en lumière. Kissinger était pour elle une monture mythologique, un cheval ailé que son moi allait enfourcher pour son grand vol à travers le ciel.

« Elle était sotte », conclut sèchement Goujard en se moquant de mes belles explications.

« Mais non », dis-je, « les témoins confirment

son intelligence. Il s'agit d'autre chose que de bêtise. Elle avait la certitude d'être élue. »

15

Être élu est une notion théologique qui veut dire : sans aucun mérite, par un verdict surnaturel, par une volonté libre, sinon capricieuse, de Dieu, on est choisi pour quelque chose d'exceptionnel et d'extraordinaire. C'est dans cette conviction que les saints ont puisé la force de supporter les plus atroces supplices. Les notions théologiques se reflètent, telle leur propre parodie, dans la trivialité de nos vies ; chacun de nous souffre (plus ou moins) de la bassesse de sa vie trop ordinaire et désire y échapper et s'élever. Chacun de nous a connu l'illusion (plus ou moins forte) d'être digne de cette élévation, d'être prédestiné et choisi pour elle.

Le sentiment d'être élu est présent, par exemple, dans toute relation amoureuse. Car l'amour, par définition, est un cadeau non mérité ; être aimé sans mérite, c'est même la preuve d'un vrai amour. Si une femme me dit : je t'aime parce que tu es intelligent, parce que tu es honnête, parce que tu m'achètes des cadeaux, parce que tu ne dragues pas, parce que tu fais la vaisselle, je suis déçu ; cet amour a l'air de quelque chose d'intéressé. Combien il est plus beau d'entendre : je suis folle de toi bien que tu ne sois ni intelligent ni honnête, bien que tu sois menteur, égoïste, salaud.

Peut-être est-ce en tant que nourrisson que l'homme connaît pour la première fois l'illusion d'être élu, grâce aux soins maternels qu'il reçoit sans mérite et revendique d'autant plus énergiquement. L'éducation devrait le débarrasser de cette illusion et lui faire comprendre que tout dans la vie se paie. Mais il est souvent trop tard. Vous l'avez certainement vue, cette fillette de dix ans qui, pour imposer sa volonté à ses copines, tout à coup, en mal d'arguments, dit à haute voix avec un inexplicable orgueil : « Parce que moi je te le dis » ; ou : « Parce que moi je le veux. » Elle se sent élue. Mais un jour elle dira « parce que moi je le veux » et le monde autour d'elle s'esclaffera. Que peut-il faire, celui qui se veut élu, pour prouver son élection, pour se faire croire à lui-même et faire croire aux autres qu'il n'appartient pas à la vulgarité commune ?

C'est là que l'époque fondée sur l'invention de la photographie vient en aide avec ses stars, ses danseurs, ses célébrités dont l'image, projetée sur un immense écran, est visible de loin par tous, admirée par tous et à tous inaccessible. Par une adorative fixation sur les gens célèbres, celui qui se tient pour élu manifeste publiquement son appartenance à l'extraordinaire en même temps que sa distance à l'égard de l'ordinaire, ce qui veut dire in concreto à l'égard des voisins, des collègues, des partenaires avec lesquels il est obligé (elle est obligée) de vivre.

Ainsi les gens célèbres sont-ils devenus une institution publique comme les installations sanitaires, comme la Sécurité sociale, comme les assurances, comme les asiles de fous. Mais ils sont utiles seulement à la condition de rester vraiment inaccessibles. Quand quelqu'un veut confirmer son élection par un rapport direct, personnel, avec quelqu'un de célèbre, il risque d'être renvoyé comme l'a été l'amoureuse de Kissinger. Ce renvoi, en langage théologique, s'appelle la chute. C'est pourquoi l'amoureuse de Kissinger parle dans son livre explicitement et à juste titre de son amour *tragique* car une chute, n'en déplaise à Goujard qui s'en moque, est tragique par définition.

Jusqu'au moment où elle a compris qu'elle était amoureuse de Berck, Immaculata avait vécu la vie de la plupart des femmes : quelques mariages, quelques divorces, quelques amants qui lui apportaient une déception aussi constante que paisible et presque douce. Le dernier de ses amants l'adore particulièrement ; elle le supporte mieux que les autres non seulement en raison de sa soumission mais aussi de son utilité : c'est un cameraman qui, quand elle a commencé à travailler à la télévision, l'a beaucoup aidée. Il est un peu plus vieux qu'elle, mais a l'air d'un éternel étudiant qui l'adore ; il la trouve la plus belle, la plus intelligente et (surtout) la plus sensible entre toutes.

La sensibilité de sa bien-aimée lui apparaît comme un paysage de peintre romantique allemand : parsemé d'arbres aux formes inimaginablement tordues, avec, au-dessus, un ciel lointain et bleu, la demeure de Dieu ; chaque fois qu'il entre dans ce paysage, il éprouve l'irrésistible envie de tomber à genoux et de rester là comme face à un miracle divin.

16

Le hall se remplit peu à peu, il y a beaucoup d'entomologistes français et aussi quelques étrangers, parmi lesquels un Tchèque dans la soixantaine dont on dit qu'il est une importante personnalité du nouveau régime, peut-être un ministre ou le président de l'Académie des sciences ou au moins un chercheur appartenant à cette même Académie. En tout cas, ne serait-ce que du point de vue de la simple curiosité, c'est le personnage le plus intéressant de ce rassemblement (il représente une nouvelle époque de l'Histoire après que le communisme s'en est allé dans la nuit des temps); néanmoins, au milieu de la foule bavardant, il se dresse, grand et gauche, tout esseulé. Depuis un bon moment les gens se sont précipités pour lui serrer la main et lui poser quelques questions mais la discussion s'arrêtait toujours beaucoup plus tôt qu'ils ne s'y attendaient et, après les quatre premières phrases échangées, ils ne savaient plus de quoi lui parler. Car, en fin de compte, il n'y avait pas de sujet commun. Les Français sont revenus rapidement à leurs problèmes, il a essayé de les suivre, de temps en temps il a ajouté « chez nous, au contraire », puis, ayant compris que personne ne s'intéressait à ce qui se passait « chez nous, au contraire », il s'est éloigné, le visage voilé d'une mélancolie qui n'était ni amère ni malheureuse, mais lucide et presque condescendante.

Tandis que les autres remplissent bruyamment le hall pourvu d'un bar, il entre dans la salle vide où quatre longues tables, dressées en carré, attendent l'ouverture du colloque. Près de la porte il y a une petite table avec la liste des invités et une demoiselle qui paraît aussi délaissée que lui. Il se penche vers elle et lui dit son nom. Elle l'oblige à le prononcer encore deux fois. La troisième fois elle n'ose plus et, au hasard, cherche dans sa liste un nom qui ressemblerait au son qu'elle a entendu.

Plein d'amabilité paternelle, le savant tchèque se penche au-dessus de la liste et y trouve son nom : il y pose l'index : CECHORIPSKY.

« Ah, monsieur Sechoripi ?, dit-elle.

— Il faut le prononcer Tché-kho-rjips-qui.

— Oh, ce n'est pas facile du tout !

— D'ailleurs ce n'est pas correctement écrit non plus », dit le savant. Il prend le stylo qu'il voit sur la table et trace au-dessus du C et du R de petits signes qui ont l'air d'un accent circonflexe renversé.

La secrétaire regarde les signes, regarde le savant et soupire : « C'est bien compliqué !

— Au contraire, c'est très simple.

— Simple ?

— Vous connaissez Jean Hus ? »

La secrétaire jette rapidement un œil sur la liste des invités et le savant tchèque se hâte d'expliquer : « Comme vous le savez, il a été un grand réformateur de l'Église. Un précurseur de Luther. Professeur à l'Université Charles qui fut la première université fondée dans le Saint Empire romain, comme vous le savez. Mais ce que vous ne savez pas, c'est que Jean Hus a été en même temps un grand réformateur de l'orthographe. Il a réussi à la simplifier à merveille. Pour écrire ce que vous prononcez comme tch vous êtes obligée d'utiliser trois lettres, t, c, h. Les Allemands ont même besoin de quatre lettres : t, s, c, h. Tandis que grâce à Jean Hus il nous suffit, à nous, d'une seule lettre, c, avec ce petit signe au-dessus. »

Le savant se penche encore une fois sur la table de la secrétaire et, dans la marge de la liste, il écrit un c, très grand, avec un accent circonflexe renversé : Č ; puis il la regarde dans les yeux et articule d'une voix claire et très nette : « Tch ! »

La secrétaire le regarde aussi dans les yeux et répète : « Tch.

— Oui. Parfait !

— C'est vraiment très pratique. Dommage que la réforme de Luther ne soit connue que chez vous.

— La réforme de Jean Hus... » dit le savant en faisant semblant de ne pas avoir entendu la gaffe de la Française, « ... n'est pas restée complètement inconnue. Il y a un autre pays où elle est utilisée... vous le savez, n'est-ce pas ? »

— Non.

— En Lituanie !

— En Lituanie », répète la secrétaire, cherchant

vainement dans sa mémoire dans quel coin du monde mettre ce pays.

« Et en Lettonie aussi. Vous comprenez maintenant pourquoi nous autres Tchèques sommes si fiers de ces petits signes au-dessus des lettres. (Avec un sourire :) Nous sommes prêts à tout trahir. Mais pour ces signes, nous nous battrons jusqu'à la dernière goutte de notre sang. »

Il s'incline devant la demoiselle et se dirige vers le carré des tables. Devant chaque chaise il y a une petite carte avec un nom. Il trouve la sienne, la regarde longuement, puis la prend entre ses doigts et, avec un sourire attristé mais qui pardonne, vient la montrer à la secrétaire.

Entre-temps un autre entomologiste s'arrête devant la table, à l'entrée, pour que la demoiselle mette une croix à côté de son nom. Elle voit le savant tchèque et lui dit : « Un petit moment, monsieur Chipiqui ! »

Celui-ci fait un geste magnanime pour dire : ne vous inquiétez pas, mademoiselle, je ne suis pas pressé. Patiemment, et non sans une touchante modestie, il attend à côté de la table (encore deux autres entomologistes s'y sont arrêtés) et quand la secrétaire est enfin libre, il lui montre la petite carte :

« Regardez, c'est drôle, n'est-ce pas ? »

Elle regarde sans comprendre grand-chose : « Mais, monsieur Chenipiqui, là, les accents, vous les avez !

— En effet, mais ce sont des accents circonflexes ordinaires ! On a oublié de les renverser ! Et regardez où on les a mis ! Au-dessus du E et au-dessus du O ! Cêchôripsky !

— Oh oui, vous avez raison ! » s'indigne la secrétaire.

— Je me demande, dit le savant tchèque de plus en plus mélancolique, pourquoi on les oublie toujours. Ils sont si poétiques, ces accents circonflexes renversés ! Vous ne trouvez pas ? Comme des oiseaux en vol ! Comme des colombes aux ailes déployées ! (D'une voix très tendre :) Ou, si vous voulez, comme des papillons. »

Et il se penche de nouveau sur la table pour prendre le stylo et pour corriger sur la petite carte l'orthographe de son nom. Il le fait tout modestement comme s'il s'excusait puis, sans mot dire, il s'en va.

La secrétaire le regarde partir, grand, curieusement difforme, et elle se sent d'emblée pleine d'une affection maternelle. Elle imagine un accent circonflexe renversé qui, en guise de papillon, voltige autour du savant et, à la fin, s'assoit sur sa crinière blanche.

En allant vers sa chaise, le savant tchèque tourne la tête et voit le sourire ému de la secrétaire. Il répond par son propre sourire et, chemin faisant, lui en envoie encore trois. Ce sont des sourires mélancoliques et pourtant fiers. Une fierté mélancolique : c'est ainsi qu'on pourrait définir le savant tchèque.

17

Qu'il ait été mélancolique après avoir vu les accents mal placés au-dessus de son nom, tout le monde le comprendra. Mais d'où tirait-il sa fierté ?

Voici la donnée essentielle de sa biographie : un an après l'invasion des Russes en 1968, il fut chassé de l'Institut entomologique et dut travailler comme ouvrier du bâtiment, et ce jusqu'à la fin de l'occupation en 1989, c'est-à-dire pendant à peu près vingt ans.

Mais ne sont-ce pas des centaines, des milliers de gens qui perdent constamment leur poste en Amérique, en France, en Espagne, partout ? Ils en souffrent mais ils n'en tirent aucune fierté. Pourquoi le savant tchèque est-il fier et non pas eux ?

Parce qu'il a été chassé de son travail pour des raisons non pas économiques, mais politiques.

Soit. Mais en ce cas il reste à expliquer pourquoi le malheur causé par des raisons économiques serait moins grave ou moins digne. Un homme licencié parce qu'il a déplu à son chef doit-il en éprouver de la honte tandis que celui qui a perdu son poste pour ses opinions politiques aurait le droit de s'en vanter ? Pourquoi ?

Parce que dans un licenciement économique, le licencié joue un rôle passif, dans son attitude il n'y a aucun courage à admirer.

Cela paraît évident mais ne l'est pas. Car le savant tchèque qu'on a chassé de son travail après 1968, quand l'armée russe avait installé dans le pays un régime particulièrement détestable, n'a accompli aucun acte de courage lui non plus. Directeur d'une section de son institut, il ne s'intéressait qu'aux mouches. Un jour, à l'improviste, une dizaine d'opposants notoires du régime s'engouffrèrent dans son bureau et lui demandèrent de mettre à leur disposition une salle pour qu'ils puissent y tenir des réunions semi-clandestines. Ils agirent selon la règle du judo moral : venant par surprise et formant eux-mêmes un petit public d'observateurs. La confrontation inattendue mit le savant dans un total embarras. Dire « oui » entraînerait immédiatement de fâcheux risques : il pourrait perdre son poste, et ses trois enfants seraient interdits à l'Université.

Mais pour dire « non » au petit public qui se moquait d'avance de sa couardise il n'avait pas assez de courage. Il finit donc par acquiescer et éprouva du mépris pour lui-même, pour sa timidité, sa faiblesse, son incapacité à ne pas se laisser faire. C'est donc, si on veut être exact, à cause de sa lâcheté qu'il a été ensuite chassé de son travail et ses enfants de l'école.

Si c'est comme ça, pourquoi diable se sent-il fier ?

Plus le temps a passé, plus il a oublié son aversion primitive pour les opposants et s'est habitué à voir dans son « oui » d'alors un acte volontaire et libre, l'expression de sa révolte personnelle contre le pouvoir haï. Ainsi croit-il appartenir à ceux qui sont montés sur la grande scène de l'Histoire et c'est dans cette certitude qu'il puise sa fierté.

Mais n'est-il pas vrai que, perpétuellement, d'innombrables personnes sont impliquées dans d'innombrables conflits politiques et peuvent donc se sentir fières d'être montées sur la grande scène de l'Histoire ?

Il faut que je précise ma thèse : la fierté du savant tchèque est due au fait qu'il n'est pas monté sur la scène de l'Histoire n'importe quand mais à ce moment précis où elle était éclairée. La scène éclairée de l'Histoire s'appelle l'Actualité Historique Planétaire. Prague en 1968, illuminée par des projecteurs et observée par des caméras, fut une Actualité Historique Planétaire par excellence et le savant tchèque est fier d'en sentir encore aujourd'hui le baiser sur son front.

Mais une grande négociation commerciale, les rencontres au sommet des grands de ce monde, ce sont pourtant d'importantes actualités, elles aussi éclairées, filmées, commentées ; pourquoi n'éveillent-elles pas chez leurs acteurs le même sentiment ému de fierté ?

J'apporte vite une dernière précision : le savant tchèque n'était pas touché par la grâce de n'importe quelle Actualité Historique Planétaire mais par celle qu'on appelle Sublime. L'Actualité est Sublime quand l'homme sur le devant de la scène souffre tandis qu'au fond retentit le crépitement de la fusillade et qu'au-dessus plane l'Archange de la mort.

Voilà donc la formule définitive : le savant tchèque est fier d'avoir été touché par la grâce d'une Actualité Historique Planétaire Sublime. Il sait bien que cette grâce le distingue de tous les Norvégiens et Danois, de tous les Français et Anglais présents avec lui dans la salle.

18

À la table de la présidence il y a une place où alternent les orateurs ; il ne les écoute pas. Il attend son tour, touche de temps en temps dans sa poche les cinq feuillets de sa petite intervention qui, il le sait, n'est pas très fameuse : ayant été écarté du travail scientifique pendant vingt ans, il n'a pu que résumer ce qu'il avait rendu public quand, jeune chercheur, il avait découvert et décrit une espèce inconnue de mouches qu'il avait baptisée *musca pragensis*. Puis, ayant entendu le président prononcer les syllabes qui signifient certainement son nom, il se lève et se dirige vers la place réservée aux orateurs.

Au cours des vingt secondes que dure son déplacement, quelque chose d'inattendu lui arrive : il succombe à l'émotion : mon Dieu, après tant d'années il se trouve à nouveau parmi les gens qu'il estime et qui l'estiment, parmi les savants qui lui sont proches et du milieu desquels le destin l'avait arraché ; quand il s'arrête devant la chaise vide qui lui est destinée, il ne s'assoit pas ; pour une fois il veut obéir à ses sentiments, être spontané et dire à ses confrères inconnus ce qu'il ressent.

« Excusez-moi, chères dames et chers messieurs,

de vous dire mon émotion, à laquelle je ne m'attendais pas et qui m'a surpris. C'est après une absence de presque vingt ans que je peux m'adresser de nouveau à l'assemblée de ceux qui réfléchissent sur les mêmes problèmes que moi, qui sont animés de la même passion que moi. Je viens d'un pays où un homme, seulement parce qu'il disait à haute voix ce qu'il pensait, pouvait être privé du sens même de sa vie puisque pour un homme de science le sens de sa vie n'est rien d'autre que sa science. Comme vous le savez, des dizaines de milliers d'hommes, toute l'intelligentsia de mon pays, ont été chassés de leurs postes après l'été tragique de 1968. Il y a encore six mois, je travaillais comme ouvrier du bâtiment. Non, il n'y a là rien d'humiliant, on apprend beaucoup de choses, on gagne l'amitié de gens simples et admirables, et on se rend compte aussi que nous, les gens de science, sommes privilégiés car faire un travail qui est en même temps une passion, c'est un privilège, oui, mes amis, le privilège que n'ont jamais connu mes compagnons ouvriers du bâtiment, parce qu'il est impossible de porter des poutres avec passion. Ce privilège qui m'a été refusé pendant vingt ans, je le possède à nouveau et j'en suis comme enivré. Cela vous explique, chers amis, pourquoi je vis ces moments comme une vraie fête, même si cette fête reste pour moi quelque peu mélancolique. »

En prononçant les derniers mots, il sent les larmes lui monter aux yeux. Cela le gêne un peu, lui revient l'image de son père qui, vieillard, était ému sans trêve et pleurait à chaque occasion, mais ensuite il se dit, pourquoi ne pas se laisser aller pour une fois : ces gens devraient se sentir honorés par son émotion qu'il leur offre comme un petit cadeau de Prague.

Il ne s'est pas trompé. L'assistance, elle aussi, est émue. À peine a-t-il prononcé le dernier mot que Berck se lève et applaudit. La caméra est là immédiatement, elle filme son visage, ses mains qui applaudissent, et elle filme aussi le savant tchèque. Toute la salle se lève, lentement ou rapidement, visages souriants ou graves, tous battent des mains et cela leur plaît à tel point qu'ils ne savent pas quand s'arrêter, le savant tchèque est debout devant eux, grand, très grand, gauchement grand, et plus la gaucherie rayonne de sa stature plus il est touchant et se sent touché, si bien que ses larmes ne se blottissent plus discrètement sous ses paupières mais descendent solennellement autour de son nez, vers sa bouche, vers son menton, à la vue de tous ses confrères qui se mettent à applaudir, si c'est possible, encore plus fort.

Enfin, l'ovation s'atténue, les gens se rassoient et le savant tchèque dit d'une voix tremblante : « Je vous remercie, mes amis, je vous remercie de tout mon cœur. » Il s'incline et se dirige vers sa place. Et il sait qu'il est en train de vivre le plus grand moment de sa vie, le moment de gloire, oui, de gloire, pourquoi ne pas dire ce mot, il se sent grand et beau, il se sent célèbre et désire que sa marche vers sa chaise soit longue et ne finisse jamais.

19

Quand il allait vers sa chaise, le silence régnait dans la salle. Peut-être serait-il plus exact de dire que des silences y régnaient. Le savant n'en distinguait qu'un seul : le silence ému. Il ne se rendait pas compte que, progressivement, comme une imperceptible modulation qui fait passer une sonate d'un ton à un autre, le silence ému s'était converti en silence gêné. Tout le monde avait compris que ce monsieur avec un nom imprononçable était à tel point ému par lui-même qu'il avait oublié de lire l'intervention qui aurait dû les renseigner sur ses découvertes de nouvelles mouches. Et tout le monde savait qu'il aurait été impoli de le lui rappeler. Après une longue hésitation, le président du colloque tousse et dit : « Je remercie Monsieur Tchécochipi... (il se tait un bon moment pour donner à l'invité une dernière chance de se souvenir)... et je prie l'intervenant suivant. » C'est alors que le silence est brièvement entrecoupé par un rire étouffé au fond de la salle.

Plongé dans ses pensées, le savant tchèque n'entend ni le rire ni l'intervention de son confrère. D'autres orateurs se suivent jusqu'à ce qu'un savant belge, qui comme lui s'occupe des mouches, le réveille de son recueillement : mon Dieu, il a oublié de prononcer son discours ! Il met la main dans sa poche, les cinq feuillets sont là comme preuve qu'il ne rêve pas.

Ses joues brûlent. Il se sent ridicule. Peut-il encore sauver quelque chose ? Non, il sait qu'il ne peut rien sauver du tout.

Après quelques moments de honte, une étrange idée vient le consoler : il est vrai qu'il est ridicule ; mais il n'y a rien de négatif, rien de honteux ou de désobligeant là-dedans ; ce ridicule qui lui a échu intensifie encore la mélancolie inhérente à sa vie, rend son destin encore plus triste et, partant, encore plus grand et plus beau.

Non, la fierté n'abandonnera jamais la mélancolie du savant tchèque.

20

Toutes les réunions ont leurs déserteurs qui se rassemblent dans une pièce contiguë pour y boire. Vincent, las d'écouter les entomologistes et pas suffisamment amusé par la curieuse performance du savant tchèque, se retrouve dans le hall avec d'autres déserteurs, autour d'une longue table près du bar.

Après s'être tu assez longtemps, il réussit à entrer en conversation avec des inconnus : « J'ai une petite amie qui me veut brutal. »

Lorsque c'est Pontevin qui dit cela il fait alors une petite pause pendant laquelle tout l'auditoire tombe dans un silence attentif. Vincent essaye de faire la même pause et, en effet, il entend s'élever un rire, un grand rire ; cela l'encourage, ses yeux rayonnent, il fait un geste de la main pour calmer ses auditeurs mais, à ce moment-là, il constate qu'ils regardent tous vers l'autre côté de la table, amusés par l'altercation de deux messieurs qui s'envoient des noms d'oiseaux.

Après une minute ou deux, il réussit encore une fois à se faire entendre : « J'en suis resté à vous dire que ma petite amie veut de moi un comportement brutal. » Cette fois-ci, tout le monde l'écoute et

Vincent ne commet plus la faute de faire une pause ; il parle de plus en plus vite comme s'il voulait se sauver devant quelqu'un qui le poursuit pour l'interrompre : « Mais je ne peux pas, je suis trop fin, n'est-ce pas » et en réponse à ces mots il se met lui-même à rire. Constatant que son rire reste sans écho, il se dépêche de continuer et accélère encore le débit de son discours : « Il y a souvent chez moi une jeune dactylo, je lui dicte...

— Elle écrit à l'ordinateur ? » lui demande un homme subitement intéressé.

Vincent répond : « Oui.

— Quelle marque ? »

Vincent cite une marque. L'homme en possède une autre et se met à raconter les histoires qu'il a vécues avec son ordinateur qui a pris l'habitude de lui faire les pires vacheries. Tout le monde rigole et on s'esclaffe plusieurs fois.

Et Vincent, tristement, se rappelle sa vieille idée : on pense toujours que les chances d'un homme sont plus ou moins déterminées par son apparence, par la beauté ou la laideur de son visage, par sa taille, par ses cheveux ou par leur absence. Erreur. C'est la voix qui décide de tout. Et celle de Vincent est faible et trop aiguë ; quand il commence à parler personne ne s'en aperçoit, de sorte qu'il est obligé de forcer et alors tout le monde a l'impression qu'il crie. Pontevin, par contre, parle tout à fait doucement, et sa voix basse résonne, agréable, belle, puissante, si bien que tout le monde n'écoute que lui.

Ah, sacré Pontevin. Il lui avait promis de l'accompagner au colloque avec toute la bande puis s'en était désintéressé, fidèle à sa nature portée plus sur les discours que sur les actions. D'un côté, Vincent en était déçu, de l'autre il se sentait d'autant plus obligé de ne pas trahir l'injonction de son maître qui, la veille de son départ, lui avait dit : « Il faut que tu nous représentes. Je te donne pleins pouvoirs pour agir en notre nom, pour notre cause commune. » Bien sûr, c'était une injonction bouffonne, mais la bande du Café gascon est convaincue que dans le monde futile qui est le nôtre seules les injonctions bouffonnes méritent obéissance. Dans son souvenir, à côté de la tête du subtil Pontevin, Vincent voit l'énorme gueule de Machu qui sourit en approuvant. Soutenu par ce message et par ce sourire, il se décide à agir ; il regarde autour de lui et aperçoit, dans le groupe qui entoure le bar, une jeune fille qui lui plaît.

21

Les entomologistes sont de curieux mufles : ils négligent la jeune fille même si elle les écoute avec la meilleure volonté du monde, prête à rire quand il le faut et à avoir l'air grave quand eux l'affichent. Visiblement, elle ne connaît aucun homme ici présent et ses réactions diligentes que personne ne remarque dissimulent une âme effarouchée. Vincent se lève de la table, s'approche du groupe où est la jeune fille et s'adresse à elle. Bientôt ils se détachent des autres et se perdent dans une conversation qui, dès le commencement, s'annonce facile et sans fin. Elle s'appelle Julie, elle est dactylo, elle a fait un petit travail pour le président des entomologistes ; libre depuis l'après-midi, elle a profité de l'occasion pour passer la soirée dans ce fameux château parmi des gens qui l'intimident mais qui, en même temps, éveillent sa curiosité puisque jusqu'à hier elle n'avait jamais vu aucun entomologiste. Vincent se sent bien avec elle, il n'est pas obligé de hausser la voix, au contraire, il la baisse pour que les autres ne les entendent pas. Puis il l'entraîne vers une petite table où ils peuvent s'asseoir l'un contre l'autre et pose sa main sur la sienne.

« Tu sais, dit-il, tout dépend de la force de la voix. C'est plus important que d'avoir un joli visage.

— Ta voix est belle.

— Tu trouves ?

— Oui, je trouve.

— Mais faible.

— C'est ce qui est agréable. Moi, j'ai une voix moche, grinçante, croassante, comme une vieille corneille, tu ne penses pas ?

— Non, dit Vincent avec une certaine tendresse, j'aime ta voix, elle est provocante, irrespectueuse.

— Tu le penses ?

— Ta voix est comme toi ! dit Vincent affectueusement, toi aussi tu es irrespectueuse et provocante ! »

Julie, qui aime entendre ce que Vincent lui dit . « Oui, je le crois.

— Ces gens-là sont des cons », dit Vincent.

Elle est tellement d'accord : « Tout à fait.

— Des m'as-tu-vu. Des bourgeois. Tu as vu Berck ? Quel crétin ! »

Elle est tout à fait d'accord. Ces gens se sont comportés avec elle comme si elle était invisible et tout ce qu'elle peut entendre contre eux lui fait plaisir, elle se sent vengée. Vincent lui semble de

76

plus en plus sympathique, c'est un joli garçon, gai et simple, et il n'est pas du tout un m'as-tu-vu.

« J'ai envie, dit Vincent, de semer un grand bordel ici... »

Cela sonne bien : comme une promesse de mutinerie. Julie sourit, elle voudrait applaudir.

« Je vais te chercher un whisky ! » lui dit-il et il va à l'autre bout du hall, vers le bar.

22

Entre-temps, le président clôt le colloque, les participants quittent bruyamment la salle, et aussitôt le hall se remplit. Berck aborde le savant tchèque. « J'ai été très ému par votre... » il hésite exprès pour faire sentir à quel point il est difficile de trouver un terme assez délicat pour qualifier le genre de discours qu'a prononcé le Tchèque « ... par votre... témoignage. Nous sommes enclins à oublier trop vite. Je voudrais vous assurer que j'ai été extrêmement sensible à ce qui se passait chez vous. Vous étiez la fierté de l'Europe qui, elle-même, n'a pas beaucoup de raisons d'être fière. »

Le savant tchèque fait un vague geste de protestation pour donner à voir sa modestie.

« Non, ne protestez pas, continue Berck, je tiens

à le dire. Vous, précisément vous, les intellectuels de votre pays, en manifestant une résistance opiniâtre à l'oppression communiste, vous avez montré le courage qui si souvent nous manque, vous avez montré une telle soif de liberté, je dirais même une telle bravoure de liberté, que vous êtes devenus pour nous l'exemple à suivre. D'ailleurs », ajoute-t-il, pour donner à ses mots une touche de familiarité, une marque de connivence : « Budapest est une ville magnifique, vivante et, permettez-moi de le souligner, tout à fait européenne.

— Vous voulez dire Prague ? » dit timidement le savant tchèque.

Ah, la maudite géographie ! Berck a compris qu'elle lui a fait commettre une menue erreur et, maîtrisant l'irritation devant le manque de tact de son confrère, il dit : « Bien sûr, je veux dire Prague, mais je veux dire aussi Cracovie, je veux dire Sofia, je veux dire Saint-Pétersbourg, je pense à toutes ces villes de l'Est qui viennent de sortir d'un énorme camp de concentration.

— Ne dites pas camp de concentration. Nous perdions souvent notre travail, mais nous n'étions pas dans des camps.

— Tous les pays de l'Est étaient couverts de camps, mon cher ! Camps réels ou symboliques, cela n'a pas d'importance !

« — Et ne dites pas de l'Est, continue à objecter le savant tchèque : Prague, comme vous le savez, est une ville aussi occidentale que Paris. L'Université Charles, fondée au XIVe siècle, fut la première Université du Saint Empire romain. C'est là, vous le savez bien, qu'a enseigné Jean Hus, le précurseur de Luther, le grand réformateur de l'Église et de l'orthographe. »

Quelle mouche a piqué le savant tchèque ? Il n'arrête pas de corriger son interlocuteur qui en devient enragé, même s'il réussit à garder de la chaleur dans sa voix : « Cher confrère, n'ayez pas honte d'être de l'Est. La France a la plus grande sympathie pour l'Est. Pensez à votre émigration du XIXe siècle !

— Nous n'avons eu aucune émigration au XIXe siècle.

— Et Mickiewicz ? Je suis fier qu'il ait trouvé sa seconde patrie en France !

— Mais Mickiewicz n'était pas... » continue à objecter le savant tchèque.

À ce moment Immaculata entre en scène ; elle fait des gestes très énergiques à l'intention de son cameraman, puis, d'un mouvement de la main, écarte le Tchèque, s'installe elle-même auprès de Berck et s'adresse à lui : « Jacques-Alain Berck... »

Le cameraman replace la caméra sur son épaule : « Un petit moment ! »

Immaculata s'interrompt, regarde le cameraman, puis encore une fois Berck : « Jacques-Alain Berck... »

23

Quand, il y a une heure, Berck a vu Immaculata et son cameraman dans la salle du colloque, il a pensé qu'il allait hurler de fureur. Mais à présent, l'irritation causée par le savant tchèque a prévalu contre celle causée par Immaculata ; lui sachant gré de l'avoir débarrassé du pédant exotique, il lui adresse même un vague sourire.

Encouragée, elle parle d'une voix gaie et ostensiblement familière : « Jacques-Alain Berck, dans cette réunion d'entomologistes à la famille desquels vous appartenez par des coïncidences de votre destin, vous venez de vivre des moments pleins d'émotion... » et elle lui pousse le microphone vers la bouche.

Berck répond comme un élève : « Oui, nous avons pu accueillir parmi nous un grand entomologiste tchèque qui, au lieu de se consacrer à son métier, a dû passer toute sa vie en prison. Nous étions tous émus par sa présence. »

Être danseur n'est pas seulement une passion,

c'est aussi une route dont on ne peut plus s'écarter ; quand Duberques l'a humilié après le déjeuner avec les sidéens, Berck n'est pas allé en Somalie par excès de vanité mais parce qu'il se sentait obligé de réparer un pas de danse raté. En ce moment, il sent la fadeur de ses phrases, il sait qu'il leur manque quelque chose, un grain de sel, une idée inattendue, une surprise. C'est pourquoi, au lieu de s'arrêter, il continue à parler jusqu'à ce qu'il voie s'approcher de loin, vers lui, une meilleure inspiration : « Et je profite de cette occasion pour vous annoncer ma proposition de fonder une Association entomologique franco-tchèque. (Surpris lui-même par cette idée, il se sent tout de suite beaucoup mieux.) Je viens d'en parler avec mon collègue de Prague (il fait un vague geste en direction du savant tchèque) qui s'est dit ravi à l'idée d'orner cette Association du nom d'un grand poète exilé du siècle passé qui symbolisera à jamais l'amitié entre nos deux peuples. Mickiewicz. Adam Mickiewicz. La vie de ce poète est comme une leçon qui nous rappellera que tout ce que nous faisons, que ce soit de la poésie ou de la science, est une révolte. (Le mot « révolte » l'a remis définitivement en grande forme.) Car l'homme est toujours révolté (maintenant il est vraiment beau et il le sait), n'est-ce pas, mon ami (il se tourne vers le savant tchèque qui apparaît immédiatement dans le cadre de la caméra et incline la tête comme s'il voulait dire « oui »), vous l'avez prouvé par votre vie, par vos sacrifices, par vos souffrances, oui, vous me le confirmez, l'homme digne de ce nom est toujours en révolte, en révolte contre l'oppression, et s'il n'y a plus d'oppression... (il fait une longue pause, seul Pontevin sait faire des pauses aussi longues et aussi efficaces ; puis, d'une voix basse :) ... contre la condition humaine que nous n'avons pas choisie. »

Révolte contre la condition humaine que nous n'avons pas choisie. La dernière phrase, la fleur de son improvisation, l'a surpris lui-même ; phrase vraiment belle d'ailleurs ; elle l'emmène brusquement très loin des prédications de politiciens et le met en communion avec les plus grands esprits de son pays : Camus aurait pu écrire une telle phrase, de même que Malraux, ou Sartre.

Immaculata, heureuse, fait signe au cameraman et la caméra s'arrête.

C'est alors que le savant tchèque s'approche de Berck et lui dit : « C'était très beau, vraiment, très beau, mais permettez-moi de vous dire que Mickiewicz n'était pas... »

Après ses performances publiques, Berck est toujours comme grisé ; d'une voix ferme, moqueuse et bruyante, il interrompt le savant tchèque : « Je sais, mon cher confrère, je le sais aussi bien que vous que Mickiewicz n'était pas entomologiste. Cela arrive d'ailleurs très rarement aux poètes d'être entomologistes. Mais malgré ce handicap, ils sont la fierté de l'humanité tout entière dont, avec votre permission, les entomologistes, y compris vous-même, font aussi partie. »

Un grand rire libérateur éclate comme une vapeur longtemps retenue ; en effet, dès qu'ils ont compris que ce monsieur ému par lui-même avait oublié de prononcer son intervention, les entomologistes ont tous eu envie de rire. Les propos impertinents de Berck les ont enfin délivrés de leurs scrupules et ils rigolent sans dissimuler leur félicité.

Le savant tchèque est interloqué : où s'est donc perdu le respect que ses pairs lui ont manifesté il y a à peine deux minutes ? Comment est-il possible qu'ils rient, qu'ils se permettent de rire ? Peut-on passer si facilement de l'adoration au mépris ? (Mais oui, mon cher, mais oui.) La sympathie est-elle donc chose si fragile, si précaire ? (Mais bien sûr, mon cher, bien sûr.)

Au même moment Immaculata s'approche de Berck. Elle parle d'une voix forte et comme éméchée : « Berck, Berck, tu es magnifique ! C'est toi tout craché ! Oh, que j'adore ton ironie ! Tu m'en as d'ailleurs fait souffrir moi-même ! Te rappelles-tu le lycée ? Berck, Berck, te souviens-tu de m'avoir appelée Immaculata ! L'oiseau de nuit qui t'a empêché de dormir ! Qui a troublé tes rêves ! Il faut que nous fassions ensemble un film, un portrait de toi. Tu dois consentir à ce qu'il n'y ait que moi à avoir le droit de le faire. »

Le rire par lequel les entomologistes l'ont récompensé pour la raclée flanquée au savant tchèque résonne toujours dans la tête de Berck et l'enivre ; dans des moments pareils une immense autosatisfaction le comble et le rend capable d'actes témérairement sincères qui souvent l'effrayent lui-même. Pardonnons-lui donc d'avance ce qu'il est en passe de faire. Il prend Immaculata par le bras, l'entraîne à part pour s'abriter des oreilles indiscrètes, puis, à voix basse, lui dit : « Va te faire foutre, vieille pouffiasse, avec tes voisines malades, va te faire foutre, oiseau de nuit, épouvantail de nuit, cauchemar de nuit, rappel de ma bêtise, monument de ma niaiserie, ordure de mes souvenirs, urine puante de ma jeunesse... »

Elle l'écoute et ne veut pas croire qu'elle entend vraiment ce qu'elle entend. Elle pense que ces mots affreux, il les dit pour quelqu'un d'autre, pour brouiller les pistes, pour tromper l'assistance, elle pense que ces mots ne sont qu'une ruse qu'elle n'est pas à même de comprendre ; elle demande donc doucement et candidement : « Pourquoi me dis-tu tout cela ? Pourquoi ? Comment dois-je le comprendre ?

— Tu dois le comprendre tel que je le dis ! Au premier degré ! Au tout premier degré ! Pouffiasse comme pouffiasse, emmerdeuse comme emmerdeuse, cauchemar comme cauchemar, urine comme urine ! »

24

Pendant tout ce temps, depuis le bar du hall, Vincent a observé la cible de son mépris. Toute la scène se déroulant à quelque dix mètres de lui, il n'a rien compris à la conversation. Une chose, pourtant, lui semblait claire : Berck se présentait à ses yeux tel que Pontevin l'avait toujours dépeint : un clown de mass media, un cabotin, un m'as-tu-vu, un danseur. Sans aucun doute c'était seulement en raison de sa présence qu'une équipe de télévision avait daigné s'intéresser aux entomologistes ! Vincent l'a observé attentivement en étudiant son art de danser : sa façon de ne pas lâcher la caméra du regard, son habileté à toujours se placer en avant des autres, l'élégance avec laquelle il sait faire un geste de la main pour attirer l'attention sur lui. Au moment où Berck prend Immaculata par le bras, il n'en peut plus et s'écrie : « Regardez-le, la seule chose qui l'intéresse, c'est la femme de la télé ! Il n'a pas pris par le bras son confrère étranger, il s'en fout de ses confrères, surtout s'ils sont étrangers, c'est la télé son seul maître, sa seule maîtresse, sa seule concubine car je parie qu'il n'en a pas d'autres, car je parie que c'est le plus grand sans-couilles de l'univers ! »

Curieusement, cette fois-ci sa voix, malgré sa disgracieuse faiblesse, est parfaitement perçue. Il existe, en effet, une circonstance où même la voix la plus faible est entendue. C'est quand elle profère des idées qui nous irritent. Vincent développe ses réflexions, il est spirituel, il est incisif, il parle des danseurs et du contrat qu'ils ont conclu avec l'Ange et, satisfait de plus en plus de son éloquence, il monte ses hyperboles comme on monte les marches d'un escalier qui conduit au ciel. Un jeune homme à lunettes, vêtu d'un costume trois-pièces, l'écoute et l'observe patiemment, comme un fauve à l'affût. Puis, quand Vincent a épuisé son éloquence, il dit :

« Cher monsieur, nous ne pouvons pas choisir l'époque où nous sommes nés. Et nous vivons tous sous le regard des caméras. Cela fait désormais partie de la condition humaine. Même quand nous faisons la guerre, nous la faisons sous l'œil des caméras. Et quand nous voulons protester contre quoi que ce soit, nous ne réussissons pas à nous faire entendre sans caméras. Nous sommes tous des danseurs, comme vous dites. Je dirais même : ou bien nous sommes danseurs, ou bien nous sommes déserteurs. Vous semblez regretter, cher monsieur, que le temps avance. Retournez donc en arrière ! Au XIIe siècle, voulez-vous ? Mais une fois là vous protesterez contre les cathédrales, les tenant pour une barbarie moderne ! Retournez donc encore plus loin ! Retournez parmi les singes ! Là aucune modernité ne vous menacera, là vous serez chez vous, dans le paradis immaculé des macaques ! »

Rien n'est plus humiliant que de ne pas trouver de réponse cinglante à une attaque cinglante. Dans un embarras indicible, sous le rire moqueur, Vincent, lâchement, se retire. Après une minute de consternation, il se souvient que Julie l'attend ; il boit d'un seul trait le verre qu'il a gardé intact à la main ; puis, il le pose sur le comptoir du bar et prend deux autres verres de whisky, un pour lui, l'autre pour l'apporter à Julie.

25

L'image de l'homme en trois-pièces est restée plantée comme une écharde dans son âme, il ne peut s'en débarrasser ; cela est d'autant plus pénible qu'en même temps il veut séduire une femme. Mais comment la séduire si sa pensée est occupée par une écharde qui fait mal ?

Elle s'aperçoit de son humeur : « Où étais-tu pendant tout ce temps ? J'ai pensé que tu ne reviendrais plus. Que tu voulais me larguer. »

Il comprend qu'elle tient à lui et cela soulage un peu la douleur provoquée par l'écharde. Il essaie à nouveau d'être charmeur mais elle reste méfiante :

« Ne me raconte pas d'histoires. Tu as changé depuis tout à l'heure. Tu as rencontré quelqu'un que tu connais ?

— Mais non, mais non, dit Vincent.

— Mais si, mais si. Tu as rencontré une femme. Et je t'en prie, si tu veux aller avec elle, tu peux, il y a une demi-heure je ne te connaissais pas. Je pourrais donc continuer à ne pas te connaître. »

Elle est de plus en plus triste, et pour un homme il n'est pas de baume plus bienfaisant que la tristesse qu'il a causée à une femme.

« Mais non, crois-moi, aucune femme. Il y avait

un emmerdeur, un lugubre crétin avec qui j'ai eu une dispute. C'est tout, c'est tout », et il lui caresse la joue si sincèrement, si tendrement qu'elle cesse d'avoir des soupçons.

« N'empêche, Vincent, tu es complètement transformé.

— Viens », lui dit-il, et il l'invite à l'accompagner au bar. Il veut extirper l'écharde de son âme par un torrent de whisky. L'élégant en trois-pièces est toujours là, avec quelques autres. Aucune femme ne se trouve dans son voisinage et cela fait du bien à Vincent accompagné de Julie qui lui semble d'un moment à l'autre toujours plus jolie. Il prend encore deux verres de whisky, il lui en tend un, boit rapidement l'autre, puis se penche vers elle : « Regarde là, ce crétin en trois-pièces, avec des lunettes.

— Celui-là ? Mais Vincent, il est nul, il est complètement nul, comment peux-tu te soucier de lui ?

— Tu as raison. C'est un mal-baisé. C'est un anti-bite. C'est un sans-couilles », dit Vincent et il lui semble que la présence de Julie l'éloigne de sa défaite, car la vraie victoire, la seule qui vaille, c'est la conquête d'une femme draguée à toute vitesse dans le milieu sinistrement anérotique des entomologistes.

« Nul, nul, nul, je t'assure, répète Julie.

— Tu as raison, dit Vincent, si je continue à m'occuper de lui je deviens aussi crétin que lui », et là, près du bar, devant tout le monde, il l'embrasse sur la bouche.

Ce fut leur premier baiser.

Ils sortent dans le parc, se promènent, s'arrêtent et s'embrassent de nouveau. Puis ils trouvent un banc sur la pelouse et s'assoient. De loin leur parvient le murmure de la rivière. Ils sont transportés, ne sachant pas par quoi ; moi, je le sais : ils entendent la rivière de madame de T., la rivière de ses nuits d'amour ; du puits du temps, le siècle des plaisirs envoie à Vincent un salut discret.

Et lui, comme s'il le percevait : « Jadis, dans ces châteaux, il y avait des orgies. Le XVIIIe siècle, tu sais. Sade. Le marquis de Sade. *La Philosophie dans le boudoir*. Tu connais ce bouquin ?

— Non.

— Il faut le connaître. Je te le prêterai. C'est la conversation au milieu d'une orgie entre deux hommes et deux femmes.

— Oui, dit-elle.

— Tous les quatre sont nus, en train de faire l'amour, tous ensemble.

— Oui.

— Cela te plairait, n'est-ce pas ?

— Je ne sais pas », dit-elle. Mais ce « je ne sais pas » n'est pas un refus, c'est la touchante sincérité d'une modestie exemplaire.

On n'extirpe pas une écharde si facilement. On peut maîtriser la douleur, la refouler, feindre qu'on n'y pense plus, mais cette simulation est un effort. Si Vincent parle si passionnément de Sade et de ses orgies, c'est moins parce qu'il veut dépraver Julie que pour tâcher d'oublier l'offense que l'élégant en trois-pièces lui a infligée.

« Mais si, dit-il, tu le sais très bien. et il l'enlace et l'embrasse. Tu le sais très bien que tu aimerais cela. » Et il voudrait lui citer beaucoup de sentences, évoquer beaucoup de situations qu'il connaît de ce livre fantastique qui s'appelle *La Philosophie dans le boudoir*.

Puis ils se lèvent et continuent leur promenade. La grande lune sort de la frondaison. Vincent regarde Julie et, soudain, il est ensorcelé : la lumière blanche a conféré à la jeune fille la beauté d'une fée, une beauté qui le surprend, beauté nouvelle qu'il n'a pas vue d'abord sur elle, beauté fine, fragile, chaste, inaccessible. Et tout d'un coup, il ne sait même pas comment cela est arrivé, il imagine son trou du cul. Brusquement, inopinément, cette image est là et il ne pourra plus s'en débarrasser.

91

Ah, le trou du cul libérateur ! C'est grâce à lui que l'élégant en trois-pièces (enfin, enfin !) a complètement disparu. Ce que plusieurs verres de whisky n'ont pas réussi, un trou du cul a su le faire en une seule seconde ! Vincent enlace Julie, l'embrasse, pelote ses seins, contemple sa beauté délicate de fée et pendant ce temps, constamment, il imagine son trou du cul. Il a une immense envie de lui dire : « Je pelote tes seins mais je ne pense qu'à ton trou du cul. » Mais il ne le peut pas, la parole ne lui sort pas de la bouche. Plus il pense à son trou du cul et plus Julie est blanche, transparente et angélique, si bien qu'il lui est impossible de prononcer ces mots à haute voix.

26

Véra dort et moi, debout devant la fenêtre ouverte, je regarde deux personnes qui se promènent dans le parc du château par une nuit enlunée.

Tout à coup j'entends la respiration de Véra s'accélérer, je me retourne vers son lit et je comprends que dans un instant elle va se mettre à crier. Je ne l'ai jamais vue avoir des cauchemars ! Que se passe-t-il dans ce château ?

Je la réveille et elle me regarde, les yeux grands

ouverts, pleins d'effroi. Puis elle raconte, avec précipitation, comme dans un accès de fièvre : « J'étais dans un très long couloir de cet hôtel. Tout à coup, de loin, un homme a surgi et a couru vers moi. Quand il est arrivé à une dizaine de mètres, il s'est mis à crier. Et, imagine, il parlait tchèque ! Des phrases complètement débiles : « Mickiewicz n'est pas tchèque ! Mickiewicz est polonais ! » Puis il s'est approché, menaçant, à quelques pas de moi et c'est là que tu m'as réveillée.

— Pardonne-moi, lui dis-je, tu es victime de mes élucubrations.

— Comment ça ?

— Comme si tes rêves étaient une poubelle où je jette des pages trop sottes.

— Qu'est-ce que tu inventes ? Un roman ? » demande-t-elle, angoissée.

J'incline la tête.

« Tu m'as souvent dit vouloir écrire un jour un roman où aucun mot ne serait sérieux. Une Grande Bêtise Pour Ton Plaisir. J'ai peur que le moment ne soit venu. Je veux seulement te prévenir : fais attention. »

J'incline la tête encore plus bas.

« Te rappelles-tu ce que te disait ta maman ? J'entends sa voix comme si c'était hier : Milanku, cesse de faire des plaisanteries. Personne ne te comprendra. Tu offenseras tout le monde et tout le monde finira par te détester. Te rappelles-tu ?

— Oui, dis-je.

— Je te préviens. Le sérieux te protégeait. Le manque de sérieux te laissera nu devant les loups. Et tu sais qu'ils t'attendent, les loups. »

Après cette terrible prophétie, elle s'est rendormie.

27

C'est à peu près à ce moment-là que le savant tchèque est rentré dans sa chambre, déprimé, l'âme meurtrie. Il a les oreilles toujours pleines du rire qui a éclaté après les sarcasmes de Berck. Et il reste toujours interloqué : peut-on vraiment passer si légèrement de l'admiration au mépris ?

En effet, me demandé-je, où a disparu le baiser que l'Actualité Historique Planétaire Sublime a posé sur son front ?

Voilà en quoi les courtisans de l'Actualité se trompent. Ils ne savent pas que les situations que l'Histoire met en scène ne sont éclairées que pendant les toutes premières minutes. Aucun événement n'est actuel dans toute sa durée, mais seulement pendant un laps de temps très bref, au

94

tout début. Les enfants mourants de Somalie que des millions de spectateurs regardaient avidement ne meurent-ils plus ? Que sont-ils devenus ? Ont-ils grossi ou maigri ? La Somalie existe-t-elle encore ? Et après tout, a-t-elle jamais existé ? Ne serait-ce pas que le nom d'un mirage ?

La façon dont on raconte l'Histoire contemporaine ressemble à un grand concert où l'on présenterait d'affilée les cent trente-huit opus de Beethoven mais en jouant seulement les huit premières mesures de chacun d'eux. Si on refaisait le même concert dans dix ans, on ne jouerait, de chaque pièce, que la seule première note, donc cent trente-huit notes pendant tout le concert, présentées comme une seule mélodie. Et dans vingt ans, toute la musique de Beethoven se résumerait en une seule très longue note aiguë qui ressemblerait à celle, infinie et très haute, qu'il a entendue le premier jour de sa surdité.

Le savant tchèque est plongé dans sa mélancolie et, comme une sorte de consolation, lui vient l'idée que de l'époque de son travail héroïque dans le bâtiment, que tous veulent oublier, il garde un souvenir matériel et palpable : une excellente musculature. Un discret sourire de satisfaction se dessine sur son visage car il est sûr que personne parmi les gens ici présents n'a des muscles comme lui.

Oui, croyez-le ou non, cette idée, apparemment risible, lui fait vraiment du bien. Il rejette sa veste et se couche à plat ventre sur le sol. Ensuite, il se soulève sur les bras. Il refait ce mouvement vingt-six fois et il est content de lui. Il se souvient du temps où, avec ses copains du bâtiment, il allait après le boulot se baigner dans un petit étang derrière le chantier. À vrai dire, il était alors cent fois plus heureux qu'il ne l'est aujourd'hui dans ce château. Les ouvriers l'appelaient Einstein et l'aimaient.

Et l'idée lui vient, frivole (il se rend compte de cette frivolité et même s'en réjouit), d'aller se baigner dans la belle piscine de l'hôtel. Avec une vanité joyeuse et toute consciente, il veut montrer son corps aux intellectuels chétifs de ce pays sophistiqué, surcultivé et somme toute perfide. Heureusement, il a apporté de Prague son slip de bain (il le prend partout avec lui), il l'enfile et se regarde, à demi nu, dans la glace. Il plie ses bras et les biceps se gonflent magnifiquement. « Si quelqu'un voulait nier mon passé, voilà mes muscles, preuve irréfutable ! » Il imagine son corps en train de se promener autour de la piscine, montrant aux Français qu'il existe une valeur tout élémentaire qui est la perfection corporelle, la perfection dont il peut, lui, se vanter et dont eux n'ont aucune idée. Puis il trouve un peu déplacé le fait de marcher quasi nu dans les couloirs de l'hôtel et il met un tricot de corps. Reste la question des pieds. Les laisser nus lui semble aussi inapproprié que de chausser des souliers ; il décide donc de garder seulement ses chaussettes. Ainsi vêtu, il se regarde encore une fois dans la glace. À nouveau, sa mélancolie est rejointe par la fierté et, à nouveau, il se sent sûr de lui.

28

Le trou du cul. On peut le dire autrement, par exemple comme Guillaume Apollinaire : la neuvième porte de ton corps. Son poème sur les neuf portes du corps de la femme existe en deux versions : la première, il l'a envoyée à sa maîtresse Lou dans une lettre écrite des tranchées le 11 mai 1915, l'autre, il l'a envoyée du même lieu à une autre maîtresse, Madeleine, le 21 septembre de la même année. Les poèmes, beaux tous les deux, diffèrent par leur imagination mais sont composés de la même manière : chaque strophe est consacrée à une des portes du corps de la bien-aimée : un œil, l'autre œil, une oreille, l'autre oreille, la narine droite, la narine gauche, la bouche, puis, dans le poème pour Lou, « la porte de ta croupe » et, enfin, la neuvième porte, la vulve. Pourtant, dans le second poème, celui pour Madeleine, survient à la fin un curieux changement de portes. La vulve rétrograde à la huitième place et c'est le trou du cul s'ouvrant « entre deux montagnes de perle » qui deviendra la neuvième porte : « plus mystérieuse encore que les autres », la porte « des sortilèges dont on n'ose point parler », la « suprême porte ».

Je pense à ces quatre mois et dix jours qui séparent les deux poèmes, quatre mois qu'Apollinaire a passés dans les tranchées, plongé dans des rêveries érotiques intenses qui l'ont amené à ce changement de perspective, à cette révélation : c'est le trou du cul le point miraculeux où se concentre toute l'énergie nucléaire de la nudité. La porte de la vulve est importante, bien sûr (bien sûr, qui oserait le nier ?), mais trop officiellement importante, endroit enregistré, classé, contrôlé, commenté, examiné, expérimenté, surveillé, chanté, célébré. La vulve : carrefour bruyant où se rencontre l'humanité jasante, tunnel par lequel passent les générations. Seuls les nigauds se laissent convaincre de l'intimité de cet endroit, le plus public de tous. L'unique endroit vraiment intime, devant le tabou duquel même les films pornographiques s'inclinent, c'est le trou du cul, la porte suprême ; suprême car la plus mystérieuse, la plus secrète.

Cette sagesse, qui a coûté à Apollinaire quatre mois passés sous un firmament d'obus, Vincent y est parvenu au cours d'une seule promenade avec Julie rendue diaphane par le clair de lune.

29

Situation difficile quand on ne peut parler que d'une seule chose et qu'en même temps on n'est pas en mesure d'en parler : le trou du cul imprononcé reste dans la bouche de Vincent comme un bâillon qui le rend muet. Il regarde vers le ciel comme s'il y cherchait une aide. Et le ciel l'exauce : il lui envoie l'inspiration poétique ; Vincent s'écrie : « Regarde ! » et fait un geste en direction de la lune. « Elle est comme un trou du cul percé dans le ciel ! »

Il tourne son regard vers Julie. Transparente et tendre, elle sourit et dit : « Oui », car depuis une heure déjà elle est prête à admirer n'importe quel propos venant de lui.

Il entend son « oui » et reste sur sa faim. Elle a

l'air chaste comme une fée et il voudrait l'entendre dire : « le trou du cul. » Il désire voir sa bouche de fée prononcer ces mots, ô combien il le désire ! Il voudrait lui dire : répète avec moi, le trou du cul, le trou du cul, le trou du cul, mais il n'ose pas. Au lieu de cela, piégé par son éloquence, il s'enlise de plus en plus dans sa métaphore : « Le trou du cul d'où sort une lumière blafarde qui remplit les entrailles de l'univers ! » Et il tend le bras vers la lune : « En avant, dans le trou du cul de l'infini ! »

Je ne peux me retenir de faire un petit commentaire sur cette improvisation de Vincent : par son obsession avouée du trou du cul, il pense réaliser son attachement au XVIIIe siècle, à Sade et à toute la bande de libertins ; mais comme s'il n'avait pas assez de force pour suivre cette obsession entièrement et jusqu'au bout, un autre héritage, très différent, opposé même, appartenant au siècle suivant, accourt à son aide ; autrement dit, il n'est capable de parler de ses belles obsessions libertines qu'en les lyrisant ; en les changeant en métaphores. Ainsi sacrifie-t-il l'esprit de libertinage à l'esprit de poésie. Et le trou du cul, il le transporte d'un corps de femme au ciel.

Ah, ce déplacement est regrettable, pénible à voir ! Continuer à suivre Vincent sur cette voie me déplaît : il se démène, empêtré dans sa métaphore

telle une mouche dans de la colle; il crie encore :
« Le trou du cul du ciel comme l'œil d'une caméra
divine ! »

Comme si elle constatait leur épuisement, Julie
brise les évolutions poétiques de Vincent en montrant de la main le hall éclairé derrière les baies :
« Presque tout le monde est déjà parti. »

Ils rentrent : en effet, devant les tables ne restent
que quelques attardés. L'élégant en trois-pièces
n'est plus là. Pourtant, son absence le rappelle à
Vincent avec une telle puissance qu'il entend à
nouveau sa voix, froide et méchante, accompagnée
du rire de ses confrères. À nouveau il a honte :
comment a-t-il pu devant lui être si désemparé ? si
lamentablement muet ? Il s'efforce de le balayer de
son esprit, mais il n'y arrive pas, il réentend ses
mots : « Nous vivons tous sous le regard des
caméras. Cela fait désormais partie de la condition
humaine... »

Il oublie complètement Julie et, étonné, s'arrête
sur ces deux phrases; comme c'est bizarre : l'argu-
ment de l'élégant est presque identique à l'idée que
lui-même, Vincent, a objectée naguère à Pontevin :
« Si tu veux intervenir dans un conflit public,
attirer l'attention sur une injustice, comment peux-
tu, à notre époque, ne pas être ou paraître danseur ? »

101

Est-ce là la raison pour laquelle il a été si décontenancé par l'élégant ? Son raisonnement lui était-il trop proche pour qu'il pût l'attaquer ? Sommes-nous tous dans le même piège, surpris par un monde qui subitement s'est transformé sous nos pieds en une scène d'où il n'y a pas d'issue ? Il n'y a donc aucune vraie différence entre ce que pense Vincent et ce que pense l'élégant ?

Non, cette idée est insupportable ! Il méprise Berck, il méprise l'élégant, et son mépris précède tous ses jugements. Têtu, il s'efforce de saisir la différence qui les sépare jusqu'à ce qu'il réussisse à la voir en toute clarté : eux, comme de misérables larbins, se réjouissent de la condition humaine telle qu'elle leur est imposée : des danseurs heureux de l'être. Tandis que lui, même s'il sait qu'il n'y a aucune issue, clame son désaccord avec ce monde. Alors lui vient à l'esprit la réponse qu'il aurait dû jeter au visage de l'élégant : « Si vivre sous les caméras est devenu notre condition, je me révolte contre elle. Je ne l'ai pas choisie ! » Voilà la réponse ! Il se penche vers Julie et sans la moindre explication lui dit : « La seule chose qui nous reste c'est la révolte contre la condition humaine que nous n'avons pas choisie ! »

Déjà accoutumée aux phrases incongrues de Vincent, elle trouve celle-ci superbe et répond sur un ton combatif : « Bien sûr ! » Et comme si le mot « révolte » l'avait remplie d'une joyeuse énergie, elle dit : « Allons dans ta chambre, tous les deux. »

D'un coup, à nouveau, l'élégant a disparu de la tête de Vincent qui regarde Julie, émerveillé par ses derniers mots.

Elle aussi est émerveillée. Près du bar il y a encore quelques-unes des personnes avec lesquelles elle s'était trouvée avant que Vincent ne s'adressât à elle. Ces gens faisaient comme si elle n'existait pas, elle en a été humiliée. Maintenant, elle les regarde, souveraine, invulnérable. Ils ne l'impressionnent plus. Elle a devant elle une nuit d'amour et elle l'a grâce à sa propre volonté, grâce à son propre courage ; elle se sent riche, chanceuse, et plus forte que tous ces gens-là.

Elle souffle à l'oreille de Vincent : « Ce sont tous des anti-bites. » Elle sait que c'est le mot de Vincent et elle le dit pour lui faire comprendre qu'elle se donne à lui et qu'elle lui appartient.

C'est comme si elle lui avait mis dans la main une grenade d'euphorie. Il pourrait s'en aller maintenant avec la belle porteuse du trou du cul directement dans sa chambre mais, comme s'il obéissait à un ordre prononcé au loin, il se croit obligé d'abord de semer un bordel ici. Il est pris dans un tourbillon d'ivresse où se mêlent l'image du trou du cul, l'imminence du coït, la voix moqueuse de l'élégant et la silhouette de Pontevin qui, tel un Trotski depuis son bunker parisien, dirige un grand chambardement, une grande mutinerie bordélique.

« On va se baigner », annonce-t-il à Julie et, en courant, il descend l'escalier vers la piscine qui à ce moment-là est vide et s'offre à ceux d'en haut comme une scène de théâtre. Il déboutonne sa chemise. Julie accourt vers lui. « On va se baigner », répète-t-il et il jette son pantalon. « Déshabille-toi ! »

30

Le terrible discours que Berck a adressé à Immaculata a été prononcé à voix basse, sifflante, si bien que les gens autour étaient incapables de saisir la vraie nature du drame qui se déroulait sous leurs yeux. Immaculata a réussi à ne rien laisser paraître ; quand Berck l'a quittée, elle s'est dirigée vers l'escalier, l'a monté, et ce n'est qu'en se retrouvant enfin seule, dans le couloir désert qui mène aux chambres, qu'elle s'est rendu compte qu'elle titubait.

Au bout d'une demi-heure, ne se doutant de rien, le cameraman est arrivé dans la chambre qu'ils partageaient et l'a trouvée sur le lit, couchée à plat ventre.

« Qu'est-ce qui ne va pas ? »

Elle ne répond pas.

Il s'assoit à côté d'elle et lui pose la main sur la tête. Elle la secoue comme si un serpent l'avait touchée.

« Mais qu'est-ce qui ne va pas ? »

Il a répété la même question plusieurs fois encore jusqu'à ce qu'elle dise : « Je te prie d'aller te gargariser, je ne supporte pas la mauvaise haleine. »

Il n'avait pas mauvaise haleine, il était toujours savonné et scrupuleusement propre, il savait donc qu'elle mentait, pourtant il se rend docilement à la salle de bains faire ce qu'elle lui a ordonné.

L'idée de la mauvaise haleine n'est pas venue pour rien à Immaculata, c'est un souvenir récent et immédiatement refoulé qui lui a inspiré cette méchanceté : le souvenir de la mauvaise haleine de Berck. Quand, écrasée, elle écoutait ses injures, elle n'était pas en état de s'occuper de son exhalation, et c'est un observateur caché en elle qui a enregistré à sa place cette odeur nauséabonde et qui a même ajouté ce commentaire lucidement concret : l'homme dont la bouche pue n'a pas de maîtresse ; aucune ne s'en accommoderait ; chacune trouverait le moyen de lui faire comprendre qu'il pue et le forcerait à se débarrasser de ce défaut. Bombardée d'injures, elle écoutait ce commentaire silencieux qui lui paraissait joyeux et plein d'espoir parce qu'il lui donnait à savoir que, malgré le spectre de belles dames que Berck laisse planer astucieusement autour de lui, il est depuis longtemps indifférent aux aventures galantes et que la place à côté de lui dans son lit est libre.

En se gargarisant, le cameraman, homme aussi romantique que pratique, s'est dit que la seule façon de changer l'humeur massacrante de sa compagne est de lui faire l'amour le plus vite possible. Dans la salle de bains il enfile donc son pyjama et, d'un pas incertain, revient s'asseoir près d'elle sur le bord du lit.

N'osant plus la toucher, il dit encore une fois : « Qu'est-ce qui ne va pas ? »

Avec une implacable présence d'esprit elle répond : « Si tu n'es capable de me dire que cette phrase imbécile, je suppose qu'il n'y a rien à attendre d'une conversation avec toi. »

Elle se lève et va vers la penderie ; elle l'ouvre pour contempler les quelques robes qu'elle y a accrochées ; ces robes l'attirent ; elles réveillent en elle le désir aussi vague que fort de ne pas se laisser chasser de la scène ; de retraverser les lieux de son humiliation ; de ne pas consentir à sa défaite ; et si défaite il y a, de la transformer en grand spectacle pendant lequel elle fera resplendir sa beauté blessée et déploiera son orgueil révolté.

« Que fais-tu ? Où veux-tu aller ? dit-il.

— C'est sans importance. Ce qui m'importe c'est de ne pas rester avec toi.

— Mais dis-moi ce qui ne va pas ! »

Immaculata regarde ses robes et remarque : « Sixième fois », et je signale qu'elle ne s'est pas trompée dans ses calculs.

« Tu as été parfaite », lui dit le cameraman, décidé à passer outre à son humeur. « On a bien fait de venir. Ton projet d'émission sur Berck me paraît gagné. J'ai commandé une bouteille de champagne dans notre chambre.

— Tu peux boire ce que tu veux avec qui tu veux.

— Mais qu'est-ce qui ne va pas ?

— Septième fois. C'est fini avec toi. À jamais. J'en ai assez de l'odeur qui sort de ta bouche. Tu es mon cauchemar. Mon mauvais rêve. Mon échec. Ma honte. Mon humiliation. Mon dégoût. Il faut que je te le dise. Brutalement. Sans prolonger mon hésitation. Sans prolonger mon cauchemar. Sans prolonger cette histoire qui n'a plus aucun sens. »

Elle est debout, face à la penderie ouverte, tournant le dos au cameraman, elle parle calmement, posément, d'une voix basse, sifflante. Puis elle commence à se déshabiller.

31

C'est la première fois qu'elle se déshabille devant lui avec une telle absence de pudeur, avec une telle indifférence affichée. Ce déshabillage veut dire : ta présence ici, devant moi, n'a aucune, mais aucune importance ; ta présence égale celle d'un chien ou d'une souris. Tes regards ne mettront en mouvement aucune parcelle de mon corps. Je pourrais faire n'importe quoi devant toi, les actes les plus inconvenants, je pourrais vomir devant toi, me laver les oreilles ou le sexe, me masturber, pisser. Tu es un non-œil, une non-oreille, une non-tête. Mon indifférence orgueilleuse est un manteau qui me permet de me mouvoir devant toi en toute liberté et en toute impudeur.

Le cameraman voit sous ses yeux se transformer complètement le corps de sa maîtresse : ce corps, qui jusqu'alors se donnait à lui avec simplicité et rapidement, s'élève devant lui comme une statue grecque dressée sur un socle haut de cent mètres. Il est fou de désir et c'est un désir étrange qui ne se manifeste pas sensuellement, mais qui remplit sa tête et seulement sa tête, le désir en tant que fascination cérébrale, idée fixe, folie mystique, la certitude que ce corps-ci, et aucun autre, est destiné à combler sa vie, toute sa vie.

Elle sent cette fascination, ce dévouement coller à sa peau, et une vague de froideur lui monte à la tête. Elle en est elle-même surprise, elle n'a jamais connu une vague pareille. C'est une vague de froideur comme il y a des vagues de passion, de chaleur ou de colère. Car cette froideur est vraiment une passion ; comme si le dévouement absolu du cameraman et le refus absolu de Berck étaient deux faces de la même malédiction contre laquelle elle se rebiffe ; comme si la rebuffade de Berck voulait la rejeter dans les bras de son amant ordinaire et que la seule parade contre cette rebuffade fût la haine absolue de cet amant. Voilà la raison pour laquelle elle le refuse avec une telle rage et désire le transformer en souris, cette souris en araignée, et cette araignée en une mouche dévorée par une autre araignée.

Elle est déjà revêtue d'une robe blanche, décidée à descendre et à se montrer à Berck et à tous les autres. Elle est heureuse d'avoir apporté une robe de couleur blanche, la couleur du mariage, car elle a l'impression de vivre le jour d'un mariage, mariage à l'envers, mariage tragique sans marié. Elle porte sous sa robe blanche la blessure d'une injustice, et elle se sent grandie par cette injustice, embellie par elle comme sont embellis par leur malheur les personnages de tragédies. Elle va vers la porte, sachant que l'autre, en pyjama, sortira sur ses talons et se tiendra derrière elle comme un chien qui l'adore, et elle veut qu'ils traversent ainsi le château, couple tragi-grotesque, une reine suivie d'un chien bâtard.

32

Mais celui qu'elle a relégué à l'état canin la surprend. Il est debout dans la porte et son visage est furieux. Sa volonté de soumission, soudain, s'est épuisée. Il est rempli du désir désespéré de s'opposer à cette beauté qui l'humilie injustement. Il ne trouve pas le courage de la gifler, de la battre, de la jeter sur le lit et de la violer, mais il ressent d'autant plus le besoin de faire quelque chose d'irréparable, d'infiniment grossier et agressif.

Elle est obligée de s'arrêter sur le seuil.

« Laisse-moi passer.

— Je ne te laisserai pas passer, lui dit-il.

— Tu n'existes plus pour moi.

— Comment, je n'existe plus ?

— Je ne te connais pas. »

Il rit d'un rire crispé : « Tu ne me connais pas ? » Il hausse la voix : « Ce matin encore on a baisé !

— Je t'interdis de parler ainsi avec moi ! Pas avec ces mots-là !

— Ce matin encore tu m'as dit toi-même ces mots-là, tu m'as dit baise-moi, baise-moi, baise-moi !

— C'était quand je t'aimais encore, dit-elle légèrement gênée, mais maintenant ces mots ne sont que des grossièretés. »

Il crie : « Et pourtant on a baisé !

— Je t'interdis !

— Cette nuit encore on a baisé, on a baisé, on a baisé !

— Arrête !

— Pourquoi peux-tu supporter mon corps le matin et pas le soir ?

— Tu sais bien que je déteste la vulgarité !

— Je me fous de ce que tu détestes ! Tu es une pouffiasse ! »

Ah, il n'aurait pas dû prononcer ce mot, le même que lui a lancé Berck. Elle crie : « La vulgarité me répugne et tu me répugnes ! »

Il crie, lui aussi : « Alors tu as baisé avec quelqu'un qui te répugne ! Mais la femme qui

111

baise avec quelqu'un qui lui répugne est précisément une pouffiasse, une pouffiasse, une pouffiasse ! »

Les mots du cameraman sont de plus en plus grossiers et la peur se dessine sur le visage d'Immaculata.

La peur ? A-t-elle vraiment peur de lui ? Je ne le crois pas : elle sait bien, dans son for intérieur, qu'il ne faut pas exagérer l'importance de cette rébellion. Elle connaît la soumission du cameraman et en est toujours sûre. Elle sait qu'il l'injurie parce qu'il veut être écouté, vu, pris en considération. Il l'injurie parce qu'il est faible et qu'à la place de la force il n'a que sa grossièreté, que ses mots agressifs. Si elle l'aimait, ne serait-ce qu'un tout petit peu, elle devrait être attendrie par cette explosion d'impuissance désespérée. Mais au lieu de s'attendrir, elle éprouve une envie effrénée de le faire souffrir. Et c'est précisément pour cette raison qu'elle se décide à prendre ses mots au pied de la lettre, à croire à ses injures, à en avoir peur. Et c'est pour cela qu'elle fixe sur lui ses yeux qui veulent paraître effrayés.

Il voit la peur dans le visage d'Immaculata et se sent encouragé : d'ordinaire, c'est toujours lui qui a peur, qui cède, qui s'excuse, et soudain, parce qu'il lui a fait voir sa force, sa rage, c'est elle qui tremble.

Pensant qu'elle est en train d'avouer sa faiblesse, de capituler, il hausse la voix et continue à débiter ses crétineries agressives et impuissantes. Le pauvre, il ne sait pas qu'il joue toujours son jeu à elle, qu'il reste un objet manipulé même au moment où il pense avoir trouvé dans sa colère la force et la liberté.

Elle lui dit : « Tu me fais peur. Tu es odieux, tu es violent », et il ne sait pas, le pauvre, que c'est une accusation qui ne sera plus jamais révoquée et que lui, ce chiffon de bonté et de soumission, deviendra ainsi, une fois pour toutes, un violeur et un agresseur.

« Tu me fais peur », dit-elle encore une fois et elle l'écarte pour pouvoir sortir.

Il la laisse passer et la suit comme un chien bâtard suit une reine.

33

La nudité. Je garde une coupure du *Nouvel Observateur* d'octobre 1993 ; un sondage : on a envoyé à douze cents personnes se disant de gauche une liste de deux cent dix mots parmi lesquels elles devaient souligner ceux qui les fascinaient, ceux auxquels elles étaient sensibles, qu'elles trouvaient attirants et sympathiques ; quelques années plus tôt, on avait fait le même sondage : à cette époque, parmi les deux cent dix mêmes mots il y en avait dix-huit sur lesquels les gens de gauche s'étaient entendus et avaient ainsi confirmé une sensibilité commune. Aujourd'hui, les mots adorés ne sont plus que trois. Seulement trois mots sur lesquels la gauche peut s'entendre ? Ô dégringolade ! Ô déclin ! Et quels sont ces trois mots ? Écoutez bien : révolte ; rouge ; nudité. Révolte et rouge, cela va de soi. Mais qu'à part ces deux mots-là seule la nudité fasse battre le cœur des gens de gauche, que seule la nudité reste leur patrimoine symbolique commun, c'est étonnant. Est-ce là tout ce que nous lègue cette magnifique histoire de deux cents ans inaugurée solennellement par la Révolution française, est-ce là l'héritage de Robespierre, de Danton, de Jaurès, de Rosa Luxemburg, de Lénine, de Gramsci, d'Aragon, de Che Guevara ? La nudité ? Le ventre nu, les couilles nues, les fesses nues ? Est-ce là le dernier drapeau sous lequel les ultimes détachements de la gauche simulent encore leur grande marche à travers les siècles ?

Mais pourquoi précisément la nudité ? Que signifie pour les gens de gauche ce mot qu'ils ont souligné dans la liste qu'un institut de sondage leur a envoyée ?

114

Je me rappelle le cortège des gauchistes allemands qui, dans les années soixante-dix, pour
manifester leur colère contre quelque chose
(contre une centrale nucléaire, contre une guerre,
contre le pouvoir de l'argent, je ne sais plus) se
sont mis à poil et ont ainsi marché, en hurlant,
dans les rues d'une grande ville allemande.

Que devait exprimer leur nudité?

Première hypothèse : Elle représentait pour
eux la plus chère de toutes les libertés, la plus
menacée de toutes les valeurs. Les gauchistes
allemands ont traversé la ville en montrant leur
sexe nu comme les chrétiens persécutés allaient à
la mort en portant sur l'épaule une croix de
bois.

Deuxième hypothèse : Les gauchistes allemands ne voulaient pas arborer le symbole d'une
valeur mais, tout simplement, choquer un public
détesté. Le choquer, l'effrayer, l'indigner. Le
bombarder de merde d'éléphant. Déverser sur
lui tous les égouts de l'univers.

Curieux dilemme : la nudité symbolise-t-elle la
plus grande valeur parmi les valeurs, ou bien la
plus grande immondice qu'on lance comme une
bombe d'excréments sur une assemblée d'ennemis?

Et que représente-t-elle donc pour Vincent qui

115

répète à Julie : « Déshabille-toi », et ajoute : « Un grand happening sous les yeux des mal-baisés ! » ?

Et que représente-t-elle pour Julie qui, docilement, et même avec un certain zèle, dit : « Pourquoi pas », et déboutonne sa robe ?

34

Il est nu. Il en demeure un peu étonné et rit d'un rire toussotant qui s'adresse plutôt à lui-même qu'à elle, car être ainsi nu dans ce grand espace vitré lui est à tel point inhabituel qu'il n'est en mesure de penser qu'à l'excentricité de la situation et à rien d'autre. Elle a déjà rejeté son soutien-gorge, puis son slip, mais Vincent ne la voit pas vraiment : il constate qu'elle est nue mais sans savoir comment elle est quand elle est nue. Souvenons-nous, quelques instants avant il était obsédé par l'image de son trou du cul, est-ce qu'il y pense encore, maintenant que ce trou s'est affranchi de la soie du slip ? Non. Le trou du cul s'est évaporé de sa tête. Au lieu de regarder attentivement le corps qui s'est dénudé en sa présence, au lieu de s'approcher de lui, de le percevoir lentement, de le toucher peut-être, il se détourne et plonge.

Curieux garçon que ce Vincent. Il pourfend les

danseurs, il délire au sujet de la lune et, au fond, c'est un sportif. Il plonge dans l'eau et nage. D'emblée, il oublie sa propre nudité, il oublie celle de Julie et ne pense qu'à son crawl. Derrière lui, Julie qui ne sait pas plonger descend prudemment l'échelle. Et Vincent ne tourne même pas la tête pour la regarder ! Dommage pour lui : car elle est charmante, très-charmante, Julie. Son corps est comme illuminé ; non pas par sa pudeur, par autre chose d'aussi beau : par la maladresse d'une intimité solitaire car, Vincent ayant la tête sous l'eau, elle est sûre que personne ne la regarde ; l'eau monte à la hauteur de sa toison et lui paraît froide, elle voudrait bien s'immerger mais le courage lui manque. Elle s'est arrêtée et hésite ; puis, prudemment, elle descend encore un échelon si bien que l'eau s'élève jusqu'à son nombril ; elle trempe la main et, par des caresses, refroidit ses seins. C'est vraiment beau de l'observer. Le candide Vincent ne se doute de rien mais moi je vois enfin une nudité qui ne représente rien, ni liberté ni immondice, une nudité dévêtue de toute signification, nudité dénudée, telle quelle, pure, et qui ensorcelle un homme.

Enfin, elle se met à nager. Elle nage beaucoup plus lentement que Vincent, la tête soulevée gauchement au-dessus de l'eau ; Vincent a déjà parcouru trois fois les quinze mètres du bassin quand elle s'approche de l'échelle pour en sortir. Il se dépêche de la suivre. Ils sont sur le bord lorsque depuis le hall, en haut, leur parviennent des voix.

Mû par la proximité d'inconnus invisibles, Vincent se met à crier : « Je vais te sodomiser ! » et avec une grimace de faune il se précipite sur elle.

Comment se fait-il que dans l'intimité de leur promenade il n'ait pas osé lui souffler une seule petite obscénité et qu'à présent, quand il risque d'être entendu par n'importe qui, il hurle des énormités ?

Précisément parce qu'il a quitté, imperceptiblement, la zone de l'intimité. Le mot prononcé dans un petit espace clos signifie autre chose que le même mot résonnant dans un amphithéâtre. Ce n'est plus un mot dont il serait entièrement responsable et qui serait destiné exclusivement à la partenaire, c'est un mot que les autres exigent d'entendre, les autres qui sont là et les regardent. L'amphithéâtre, il est vrai, est vide, mais même s'il est vide, le public, imaginé et imaginaire, potentiel et virtuel, est là, est avec eux.

On peut se demander qui compose ce public ; je ne crois pas que Vincent évoque les gens qu'il a vus au colloque ; le public qui l'entoure à présent est nombreux, insistant, exigeant, agité, curieux mais en même temps tout à fait non identifiable, avec des visages aux traits estompés ; cela veut-il dire que le public qu'il imagine est celui dont rêvent les danseurs ? le public des invisibles ? celui sur lequel Pontevin est en train de construire ses théories ? le monde entier ? un infini sans visages ? une abstraction ? pas tout à fait : car derrière ce tumulte anonyme transparaissent des visages concrets : Pontevin et d'autres copains ; ils observent, amusés, toute la scène, ils observent Vincent, Julie et même le public d'inconnus qui les entoure. C'est pour eux que Vincent crie ses mots, c'est leur admiration, leur approbation qu'il veut conquérir.

« Tu ne me sodomiseras pas ! » crie Julie qui ne sait rien de Pontevin mais qui, elle aussi, prononce cette phrase pour ceux qui, tout en n'étant pas là, pourraient y être. Désire-t-elle leur admiration ? Oui, mais elle ne la désire que pour plaire à Vincent. Elle veut être applaudie par un public inconnu et invisible afin d'être aimée par l'homme qu'elle a choisi pour cette nuit et, qui sait ? pour beaucoup d'autres encore. Elle court autour de la piscine et ses deux seins se balancent joyeusement à droite et à gauche.

Les paroles de Vincent sont de plus en plus audacieuses ; seul leur caractère métaphorique embrume légèrement leur vulgarité vigoureuse.

« Je te percerai avec ma bite et te clouerai au mur !

— Tu ne me cloueras pas !

— Tu resteras crucifiée au plafond de la piscine !

— Je ne resterai pas crucifiée !

— Je déchirerai ton trou du cul aux yeux de l'univers !

— Tu ne le déchireras pas !

— Tout le monde verra ton trou du cul !

— Personne ne verra mon trou du cul ! » crie Julie.

À ce moment, de nouveau, ils entendent des voix dont la proximité semble alourdir le pas léger de Julie, lui intimer de s'arrêter : elle commence à crier d'une voix stridente telle une femme qui, dans quelques secondes, va être violée. Vincent l'attrape et tombe avec elle sur le sol. Elle le regarde, les yeux grands ouverts, attendant une pénétration à laquelle elle s'est décidée à ne pas résister. Elle écarte les jambes. Ferme les yeux. Tourne la tête légèrement de côté.

35

La pénétration n'a pas eu lieu. Elle n'a pas eu lieu car le membre de Vincent est petit comme une fraise des bois fanée, comme le dé à coudre d'une arrière-grand-mère.

Pourquoi est-il si petit ?

Je pose cette question directement au membre de Vincent, et celui-ci, franchement étonné, répond : « Et pourquoi ne devrais-je pas être petit ? Je n'ai pas vu la nécessité de grandir ! Croyez-moi, cette idée, vraiment, ne m'est pas venue ! Je n'étais pas prévenu. De concert avec Vincent, j'ai suivi cette curieuse course autour de la piscine, impatient de voir ce qui allait advenir ! Je me suis bien amusé ! Maintenant vous allez accuser Vincent d'impuissance ! Je vous en prie ! Cela me culpabiliserait affreusement et ce serait injuste car nous vivons dans une harmonie parfaite et, je vous le jure, sans jamais nous décevoir l'un l'autre. J'ai toujours été fier de lui et lui de moi ! »

Le membre a dit vrai. D'ailleurs, Vincent n'est pas vexé outre mesure par son comportement. Si son membre agissait de la sorte dans l'intimité de son appartement, il ne lui pardonnerait jamais. Mais ici, il est prêt à considérer sa réaction comme raisonnable et même plutôt décente. Il décide donc de prendre les choses telles qu'elles sont et se met à simuler le coït.

Julie non plus n'est ni vexée ni frustrée. Sentir les mouvements de Vincent sur son corps et ne rien sentir au-dedans lui paraît étrange mais, somme toute, acceptable et elle répond aux battements de son amant par ses propres mouvements.

Les voix qu'ils ont entendues se sont éloignées mais un nouveau bruit retentit dans l'espace résonnant de la piscine : les pas d'un coureur qui passe tout près d'eux.

Le halètement de Vincent s'accélère et s'amplifie ; il grogne et beugle tandis que Julie émet des gémissements et des sanglots, en partie parce que le corps mouillé de Vincent lui fait mal en retombant sans cesse sur elle, en partie parce qu'elle veut ainsi répliquer à ses rugissements.

36

Ne les ayant aperçus qu'au dernier moment, le savant tchèque n'a pu les éviter. Mais il fait comme s'ils n'étaient pas là et s'efforce de fixer son regard ailleurs. Il a le trac : il ne connaît pas encore bien la vie en Occident. Dans l'empire du communisme, faire l'amour au bord d'une piscine était impossible comme beaucoup d'autres choses d'ailleurs qu'il lui faudra maintenant apprendre patiemment. Il arrive déjà de l'autre côté de la piscine et l'envie le prend de se retourner pour jeter quand même un coup d'œil rapide sur le couple copulant ; car une chose le chiffonne : l'homme qui copule a-t-il le corps bien entraîné ? Qu'est-ce qui est le plus utile pour la culture corporelle, l'amour physique ou les travaux manuels ? Mais il se domine, ne voulant pas passer pour un voyeur.

Il s'arrête sur le bord opposé et commence à faire des exercices : il court d'abord sur place en levant très haut les genoux ; puis il s'appuie sur les mains, les pieds en l'air ; depuis son enfance il sait maîtriser cette position que les gymnastes appellent l'appui tendu renversé et il le fait aujourd'hui aussi bien qu'autrefois ; une question lui vient : combien de grands savants français savent le faire comme lui ? et combien de ministres ? Il imagine l'un après l'autre tous les ministres français qu'il connaît par leur nom et par leurs photos, il essaie de les imaginer dans cette position, en équilibre sur les mains, et il est satisfait : tels qu'il les voit, ils sont maladroits et faibles. Après avoir réussi sept fois l'appui tendu renversé, il se couche à plat ventre et se soulève sur les bras.

37

Ni Julie ni Vincent ne s'occupent de ce qui se passe autour d'eux. Ils ne sont pas exhibitionnistes, ils ne cherchent pas à s'exciter par le regard d'autrui, à saisir ce regard, à observer l'autre qui les observe ; ce n'est pas une orgie qu'ils font, c'est un spectacle, et les comédiens, pendant une représentation, ne veulent pas rencontrer les yeux des spectateurs. Plus encore que Vincent, Julie s'acharne à ne rien voir ; pourtant le regard qui vient de se poser sur son visage est trop lourd pour qu'elle puisse ne pas le sentir.

Elle lève les yeux et la voit : elle est dans une superbe robe blanche et l'observe fixement ; son regard est étrange, lointain, et pourtant lourd, terriblement lourd ; lourd comme le désespoir, lourd comme le je-ne-sais-que-faire, et Julie, sous ce poids, se sent comme paralysée. Ses mouvements ralentissent, se flétrissent, cessent ; encore quelques gémissements et elle se tait.

La femme en blanc lutte contre une immense envie de hurler. Elle ne peut s'affranchir de cette envie qui est d'autant plus forte que celui pour qui elle veut hurler ne l'entendra pas.

Soudain, ne pouvant plus tenir, elle émet un cri, un cri aigu, terrible.

Julie se réveille alors de sa stupeur, se redresse, prend son slip, l'enfile, se couvre en vitesse de ses vêtements désordonnés et se sauve en courant.

Vincent est plus lent. Il ramasse sa chemise, son pantalon, mais il ne voit nulle part son slip.

À quelques pas derrière, un homme en pyjama est planté, personne ne le voit et il ne voit personne non plus, concentré qu'il est sur la femme en blanc.

38

Ne pouvant se résigner à l'idée que Berck l'a rejetée, elle a eu cette folle envie d'aller le provoquer, de parader devant lui dans toute sa blanche beauté (la beauté d'une immaculée n'est-elle pas blanche ?), mais sa promenade par les couloirs et les halls du château s'est mal passée : Berck n'était plus là et le cameraman l'a suivie non pas silencieusement, tel un humble chien bâtard, mais en s'adressant à elle d'une voix forte et désagréable. Elle a réussi à attirer l'attention sur elle, mais une attention mauvaise et moqueuse, de sorte qu'elle a accéléré le pas ; ainsi, en fuite, elle est arrivée jusqu'au bord de la piscine où, s'étant heurtée à un couple qui copulait, elle a fini par émettre son cri.

Ce cri l'a réveillée : elle voit tout à coup en pleine clarté le piège qui se referme sur elle : son pour-chasseur derrière, l'eau devant. Elle comprend lucidement que cet encerclement est sans issue ; que la seule issue dont elle dispose est une issue insensée ; que la seule action raisonnable qui lui reste est une action folle ; avec toute la force de sa volonté elle choisit donc la déraison : elle fait deux pas en avant et saute dans l'eau.

La façon dont elle a sauté est assez curieuse : contrairement à Julie, elle sait très bien plonger ; et pourtant, elle est tombée dans l'eau les pieds les premiers, les bras disgracieusement écartés.

C'est que tous les gestes, outre leur fonction pratique, possèdent une signification qui dépasse l'intention de ceux qui les exécutent ; quand des gens en maillot se jettent dans l'eau, c'est la joie elle-même qui se montre dans ce geste, nonobstant la tristesse éventuelle des plongeurs. Quand quel-qu'un saute dans l'eau habillé, c'est tout autre chose : ne saute tout habillé dans l'eau que celui qui veut se noyer ; et celui qui veut se noyer ne plonge pas tête la première ; il se laisse tomber : ainsi le veut la langue immémoriale des gestes. C'est pour-quoi Immaculata, bien qu'excellente nageuse, n'a pu, dans sa belle robe, sauter dans l'eau que d'une manière lamentable.

Sans aucune raison raisonnable elle se trouve maintenant dans l'eau ; elle est là, soumise à son geste dont la signification remplit peu à peu son âme ; elle se sent vivre son suicide, sa noyade, et tout ce qu'elle fera désormais ne sera qu'un ballet, qu'une pantomime par laquelle son geste tragique prolongera son discours muet :

Après sa chute dans l'eau, elle se redresse. À cet endroit, la piscine est peu profonde, l'eau lui arrive à la taille ; elle reste quelques instants debout, la tête droite, le buste bombé. Puis elle se laisse tomber de nouveau. À ce moment une écharpe de sa robe se libère et flotte derrière elle comme flottent les souvenirs derrière les morts. À nouveau, elle se redresse, la tête légèrement inclinée en arrière, les bras écartés ; comme si elle voulait courir, elle avance de quelques pas, là où la piscine est en pente, puis s'immerge à nouveau. C'est ainsi qu'elle progresse, ressemblant à un animal aquatique, à un mythologique canard qui laisse sa tête disparaître sous la surface et la relève ensuite en la renversant vers le haut. Ces mouvements chantent le désir de vivre dans les hauteurs ou de périr au fond des eaux.

L'homme en pyjama tombe soudain à genoux et

127

pleure : « Reviens, reviens, je suis un criminel, je suis un criminel, reviens ! »

39

De l'autre côté de la piscine, là où l'eau est profonde, le savant tchèque en train de faire des pompes regarde tout étonné : il a d'abord pensé que le couple nouvellement arrivé était venu pour se joindre au couple copulant et qu'il allait enfin assister à une de ces partouses légendaires dont il avait beaucoup entendu parler quand il travaillait sur les échafaudages du puritain empire communiste. Par pudeur, il a même pensé, dans ces circonstances de coït collectif, devoir quitter cet endroit et s'en aller dans sa chambre. Puis le terrible cri lui a percé les oreilles et, bras tendus, il est resté ainsi comme pétrifié, ne pouvant plus continuer ses exercices même si jusqu'alors il n'a soulevé son corps que dix-huit fois. Sous ses yeux, la femme vêtue d'une robe blanche est tombée dans l'eau, et une écharpe s'est mise à flotter derrière elle avec quelques menues fleurs artificielles, bleues et roses.

Immobile, le torse soulevé, le savant tchèque finit par comprendre que cette femme veut se noyer : elle s'efforce de garder la tête sous l'eau mais, sa volonté n'étant pas assez forte, elle se redresse toujours. Il assiste à un suicide comme il n'aurait jamais su en imaginer. La femme est malade ou blessée ou pourchassée, elle se redresse et à nouveau disparaît sous la surface, encore et encore ; certainement, elle ne sait pas nager ; au fur et à mesure de sa progression elle s'immerge de plus en plus de sorte que bientôt l'eau la recouvrira et qu'elle mourra sous le regard passif d'un homme en pyjama qui, au bord de la piscine, agenouillé, l'observe et pleure.

Le savant tchèque ne peut plus hésiter : il se lève, se penche en avant au-dessus de l'eau, jambes fléchies, bras tendus en arrière.

L'homme en pyjama ne voit plus la femme, fasciné qu'il est par la stature d'un homme inconnu, grand, fort, étrangement difforme qui, juste en face, à quelque quinze mètres, s'apprête à intervenir dans un drame qui ne le concerne pas, un drame que l'homme en pyjama garde jalousement pour lui seul et pour la femme qu'il aime. Car, qui pourrait en douter, il l'aime, sa haine n'est que passagère ; il est incapable de la détester vraiment et durablement même si elle le fait souffrir. Il sait qu'elle agit sous le diktat de sa sensibilité irrationnelle et indomptable, de sa miraculeuse sensibilité qu'il ne comprend pas et qu'il vénère. Même s'il vient de la couvrir d'injures, il reste convaincu, dans son for intérieur, qu'elle est innocente et que le vrai coupable de leur discorde inattendue est quelqu'un d'autre. Il ne le connaît pas, il ne sait pas où il se trouve, mais il est prêt à se jeter sur lui. Dans cet état d'esprit, il regarde l'homme qui se penche sportivement au-dessus de l'eau ; comme hypnotisé, il regarde son corps, fort, musclé et curieusement disproportionné, avec de larges cuisses toutes féminines et de gros mollets inintelligents, un corps absurde comme l'injustice incarnée. Il ne sait rien de cet homme, il ne le soupçonne de rien mais, aveuglé par sa souffrance, il voit dans ce monument de laideur l'image de son inexplicable malheur et se sent saisi d'une invincible haine envers lui.

Le savant tchèque plonge et, en quelques brasses puissantes, s'approche de la femme.

« Laisse-la ! » hurle l'homme en pyjama, et il saute lui aussi dans l'eau.

Le savant n'est plus qu'à deux mètres de la femme ; son pied touche déjà le fond.

L'homme en pyjama nage vers lui et hurle de nouveau : « Laisse-la ! Ne la touche pas ! »

Le savant tchèque a étendu ses bras sous le

corps de la femme qui s'affale en émettant un long soupir.

À ce moment, l'homme en pyjama est tout près de lui : « Lâche-la ou je te tue ! »

À travers ses larmes, il ne voit rien devant lui, rien d'autre qu'une silhouette difforme. Il l'attrape par une épaule et la secoue avec violence. Le savant chavire, la femme tombe de ses bras. Aucun des deux hommes ne s'occupe plus d'elle, qui nage vers l'échelle et remonte. Le savant regarde les yeux haineux de l'homme en pyjama, et ses yeux à lui s'allument de la même haine.

L'homme en pyjama ne se retient plus et frappe.

Le savant sent une douleur dans la bouche. Il inspecte de sa langue une dent de devant et constate qu'elle branle. C'est une fausse dent très laborieusement vissée dans la racine par un dentiste praguois qui avait ajusté d'autres fausses dents autour ; avec insistance, il lui avait expliqué que celle-ci allait servir de pilier à toutes les autres et que, s'il la perdait un jour, il n'échapperait pas à la fatalité du dentier, pour lequel le savant tchèque éprouve une horreur indicible. Sa langue examine la dent qui branle et il devient pâle, d'abord d'angoisse, ensuite de rage. Toute sa vie surgit devant lui et des larmes, pour la deuxième fois de la journée, inondent ses yeux ; oui, il pleure, et du fond de ces pleurs une idée lui monte à la tête : il a tout perdu, il n'a plus que ses muscles ; mais ces muscles, ses pauvres muscles, à quoi lui servent-ils ? Comme un ressort, cette question met son bras droit en terrible mouvement : en résulte une gifle, gifle immense comme la tristesse d'un dentier, immense comme un demi-siècle de baisage éperdu au bord de toutes les piscines françaises. L'homme en pyjama disparaît sous l'eau.

Sa chute a été si rapide, si parfaite que le savant tchèque pense l'avoir tué ; après un instant d'hébétude, il se penche, le soulève, lui donne quelques tapes légères sur le visage ; l'homme ouvre les yeux, son regard absent se pose sur l'apparition difforme, puis il se libère et nage vers l'échelle pour rejoindre la femme.

40

Celle-ci, accroupie au bord de la piscine, a regardé attentivement l'homme en pyjama, sa lutte et sa chute. Une fois qu'il est remonté sur le bord carrelé de la piscine, elle se redresse et se dirige vers l'escalier, sans se retourner, mais assez lentement pour qu'il puisse la suivre. Ainsi, sans mot dire, superbement mouillés, ils traversent le hall (abandonné depuis longtemps déjà), prennent les couloirs et arrivent à la chambre. Leurs vêtements dégoulinent, ils tremblent de froid, ils doivent se changer.

Et ensuite ?

Quoi, ensuite ? Ils vont faire l'amour, qu'avez-vous pensé d'autre ? Cette nuit-là ils seront silencieux, elle va seulement gémir comme quelqu'un à qui on a fait du tort. Ainsi tout pourra continuer et la pièce qu'ils viennent de donner ce soir pour la première fois sera reprise les jours et les semaines qui suivront. Afin de démontrer qu'elle est au-dessus de toute vulgarité, au-dessus du monde ordinaire qu'elle méprise, elle le poussera de nouveau à genoux, il s'accusera, pleurera, elle en deviendra encore plus méchante, le cocufiera, exhibera son infidélité, le fera souffrir, il se rebiffera, sera grossier, menaçant, décidé à faire quelque chose d'innommable, il cassera un vase, hurlera d'affreuses injures, sur quoi elle simulera la peur, l'accusera d'être violeur et agresseur, il retombera à genoux, repleurera, se redéclarera coupable, puis elle lui permettra de coucher avec elle et ainsi de suite, et ainsi de suite pour des semaines, des mois, des années, pour l'éternité.

41

Et le savant tchèque ? La langue collée contre la dent qui branle, il se dit : voilà ce qui reste de toute ma vie : une dent qui branle et ma peur panique d'être obligé de porter un dentier. Rien d'autre ? Rien du tout ? Rien. Dans une illumination subite, tout son passé lui apparaît non pas comme une aventure sublime, riche en événements dramatiques et uniques, mais comme la minuscule partie d'un fatras d'événements confus qui ont traversé la planète à une vitesse empêchant de distinguer leurs traits, à tel point que Berck a peut-être eu raison de le tenir pour un Hongrois ou pour un Polonais parce que, peut-être, il est vraiment hongrois, polonais ou peut-être turc, russe ou même un enfant mourant en Somalie. Quand les choses se passent trop vite personne ne peut être sûr de rien, de rien du tout, même pas de soi-même.

Quand j'ai évoqué la nuit de madame de T., j'ai rappelé l'équation bien connue d'un des premiers chapitres du manuel de la mathématique existentielle : le degré de la vitesse est directement proportionnel à l'intensité de l'oubli. De cette équation on peut déduire divers corollaires, par exemple celui-ci : notre époque s'adonne au démon de la vitesse et c'est pour cette raison qu'elle s'oublie si facilement elle-même. Or je préfère inverser cette affirmation et dire : notre époque est obsédée par le désir d'oubli et c'est afin de combler ce désir qu'elle s'adonne au démon de la vitesse ; elle accélère le pas parce qu'elle veut nous faire comprendre qu'elle ne souhaite plus qu'on se souvienne d'elle ; qu'elle se sent lasse d'elle-même ; écœurée d'elle-même ; qu'elle veut souffler la petite flamme tremblante de la mémoire.

Mon cher compatriote, camarade, découvreur célèbre de la *musca pragensis*, héroïque ouvrier des échafaudages, je ne veux plus souffrir de te voir planté dans l'eau ! Tu vas attraper la crève ! Ami ! Frère ! Ne te tourmente pas ! Sors ! Va te coucher. Réjouis-toi d'être oublié. Emmitoufle-toi dans le châle de la douce amnésie générale. Ne pense plus au rire qui t'a blessé, il n'existe plus, ce rire, il n'existe plus comme n'existent plus tes années passées sur les échafaudages ni ta gloire de persécuté. Le château est tranquille, ouvre la fenêtre et l'odeur des arbres remplira ta chambre. Respire. Ce sont des marronniers âgés de trois siècles. Leur murmure est le même que celui qu'ont entendu madame de T. et son chevalier quand ils se sont aimés dans le pavillon qui était alors visible de ta fenêtre mais que tu ne verras plus, hélas, parce qu'il a été détruit quelque quinze ans plus tard, pendant la révolution de 1789, et qu'il n'en est rien resté d'autre que les quelques pages de la nouvelle de Vivant Denon que tu n'as jamais lue et, très probablement, ne liras jamais.

42

Vincent n'a pas retrouvé son slip, il a enfilé son pantalon et sa chemise sur son corps mouillé et s'est mis à courir après Julie. Mais elle était trop leste et lui trop lent. Il parcourt les couloirs et constate qu'elle a disparu. Ignorant où se trouve la chambre de Julie, il sait ses chances minces mais continue à errer dans les couloirs en espérant qu'une porte s'ouvrira et que la voix de Julie lui dira : « Viens, Vincent, viens. » Mais tout le monde dort, on n'entend aucun bruit et toutes les portes restent fermées. Il murmure : « Julie, Julie ! » Il hausse son murmure, il hurle son murmure mais seul le silence lui répond. Il l'imagine. Il imagine son visage rendu diaphane par la lune. Il imagine son trou du cul. Ah, son trou du cul qui était nu tout près de lui et qu'il a manqué, totalement manqué. Qu'il n'a ni touché ni vu. Ah, cette terrible image est de nouveau là et son pauvre membre se réveille, se lève, oh il se lève, inutilement, irraisonnablement et immensément.

Rentré dans sa chambre, il se laisse tomber sur une chaise et n'a dans la tête que le désir de Julie. Il est prêt à faire n'importe quoi pour la retrouver mais il n'y a rien à faire. Elle viendra demain matin dans la salle à manger prendre son petit déjeuner, mais lui, hélas, il sera déjà à Paris à son bureau. Il ne connaît ni son adresse, ni son patronyme, ni son lieu de travail, rien. Il est seul avec son immense désespoir, matérialisé par la grandeur incongrue de son membre.

Celui-ci, il y a une heure à peine, montrait un louable bon sens en sachant garder des dimensions convenables, ce que, dans un remarquable discours, il a justifié avec une argumentation dont la rationalité nous a tous impressionnés ; mais maintenant, j'ai des doutes sur la raison de ce même membre qui, cette fois, a perdu tout bon sens ; sans aucun motif défendable, il se dresse contre l'univers comme la Neuvième Symphonie de Beethoven qui, face à la lugubre humanité, hurle son hymne à la joie.

43

C'est la deuxième fois que Véra se réveille.

« Pourquoi te crois-tu obligé de mettre la radio à tue-tête ? Tu m'as réveillée.

— Je n'écoute pas la radio. Tout est calme comme nulle part ailleurs.

— Non, tu as écouté la radio et c'est moche de ta part. Je dormais.

— Je te jure !

— Et en plus cet imbécile d'hymne à la joie, comment peux-tu écouter ça !

— Pardonne-moi. C'est encore la faute à mon imagination.

— Comment, ton imagination ? C'est peut-être toi qui as écrit la Neuvième Symphonie ? Tu commences à te prendre pour Beethoven ?

— Non, ce n'est pas ce que je voulais dire.

— Jamais cette symphonie ne m'a paru si insupportable, si déplacée, si importune, si puérilement grandiloquente, si sottement, si naïvement vulgaire. Je n'en peux plus. Là, vraiment, c'est le comble. Ce château est hanté et je ne veux pas rester ici une minute de plus. Je t'en prie, partons. D'ailleurs le jour point. »

Et elle quitte le lit.

44

Le petit matin est là. Je pense à la scène finale de la nouvelle de Vivant Denon. La nuit d'amour dans le cabinet secret du château s'est terminée par l'arrivée d'une femme de chambre, la confidente, qui a annoncé aux amants le lever du jour. Le chevalier s'habille à toute vitesse, sort, mais s'égare dans les couloirs du château. Craignant d'être découvert, il préfère aller dans le parc et faire semblant de se promener comme quelqu'un qui, ayant bien dormi, s'est réveillé très tôt. La tête encore étourdie, il essaye de comprendre le sens de son aventure : madame de T. a-t-elle rompu avec son amant de Marquis ? est-elle en train de rompre ? ou voulait-elle seulement le punir ? quelle sera la suite de la nuit qui vient de s'achever ?

Perdu dans ces interrogations, il voit soudain devant lui le Marquis, l'amant de madame de T. Il vient d'arriver et se précipite vers le chevalier : « Comment cela s'est-il passé ? » lui demande-t-il avec impatience.

Le dialogue qui suit fera enfin comprendre au chevalier à quoi il doit son aventure : il fallait détourner l'attention du mari vers un faux amant et c'est à lui qu'a incombé ce rôle. Pas un beau rôle, un rôle plutôt ridicule, concède le Marquis en riant. Et comme s'il voulait récompenser le chevalier pour son sacrifice, il lui accorde quelques confidences : madame de T. est une femme adorable et surtout d'une fidélité sans pareille. Elle a une seule faiblesse : sa froideur physique.

Ils reviennent tous les deux au château pour présenter leurs salutations au mari. Celui-ci, accueillant quand il parle au Marquis, se comporte dédaigneusement envers le chevalier : il lui recommande de partir le plus vite possible, sur quoi l'aimable Marquis propose sa propre chaise.

Puis le Marquis et le chevalier vont rendre visite à madame de T. À la fin de l'entretien, sur le seuil, elle réussit à dire quelques mots affectueux au chevalier ; voici les phrases finales comme la nouvelle les rapporte : « Dans ce moment, votre amour vous rappelle ; celle qui en est l'objet en est digne. [...] Adieu, encore une fois. Vous êtes charmant... Ne me brouillez pas avec la Comtesse. »

« Ne me brouillez pas avec la Comtesse » : ce sont les derniers mots que madame de T. dit à son amant.

Tout de suite après, les tout derniers mots de la nouvelle : « Je montai dans la voiture qui m'attendait. Je cherchai bien la morale de toute cette aventure, et... je n'en trouvai point. »

Pourtant, la morale est là : c'est madame de T. qui l'incarne : elle a menti à son mari, elle a menti à son amant de Marquis, elle a menti au jeune chevalier. C'est elle le vrai disciple d'Épicure. Aimable amie du plaisir. Douce menteuse protectrice. Gardienne du bonheur.

45

L'histoire de la nouvelle est racontée à la première personne par le chevalier. Il ne sait rien de ce que madame de T. pense vraiment et il est plutôt avare quand il parle de ses propres sentiments et pensées. Le monde intérieur des deux personnages reste voilé ou mi-voilé.

Quand, au petit matin, le Marquis a parlé de la frigidité de sa maîtresse, le chevalier a pu rire sous cape car celle-ci vient de lui prouver le contraire. Mais hormis cette certitude il n'en a aucune autre. Ce que madame de T. a vécu avec lui fait-il partie de sa routine ou cela a-t-il été pour elle une aventure rare, voire tout à fait unique ? Son cœur en a-t-il été touché, ou reste-t-il intact ? Sa nuit d'amour l'a-t-elle rendue jalouse de la Comtesse ? Ses derniers mots par lesquels elle l'a recommandée au chevalier étaient-ils sincères ou dictés par un simple besoin de sécurité ? L'absence du chevalier la rendra-t-elle nostalgique, ou la laissera-t-elle indifférente ?

Et quant à lui : lorsque au petit matin le Marquis l'a raillé, il lui a répondu avec esprit, réussissant à rester maître de la situation. Mais comment s'est-il senti vraiment ? Et comment se sentira-t-il au moment où il quittera le château ? À quoi va-t-il penser ? Au plaisir qu'il a vécu ou à sa renommée de jeunot ridicule ? Se sentira-t-il vainqueur ou vaincu ? Heureux ou malheureux ?

Autrement dit : peut-on vivre dans le plaisir et pour le plaisir et être heureux ? L'idéal de l'hédonisme est-il réalisable ? Cet espoir existe-t-il ? Existe-t-il au moins une frêle lueur de cet espoir ?

46

Il est fatigué à en mourir. Il a envie de s'allonger sur le lit et de dormir mais il ne peut prendre le risque de ne pas se réveiller à temps. Il doit partir dans une heure, pas plus tard. Assis sur la chaise, il s'enfonce le casque de motard sur la tête en supposant que le poids l'empêchera de s'assoupir. Mais être assis avec un casque sur la tête et ne pas pouvoir dormir n'a aucun sens. Il se lève, décidé à partir.

L'imminence du départ lui rappelle l'image de Pontevin. Ah Pontevin! Il va l'interroger. Que doit-il lui raconter? S'il lui dit tout ce qui s'est passé il en sera amusé, c'est sûr, et toute la compagnie avec lui. Car c'est toujours drôle quand un narrateur joue un rôle comique dans sa propre histoire. Personne, d'ailleurs, ne sait le faire mieux que Pontevin. Par exemple quand il raconte son expérience avec la dactylo qu'il a traînée par les cheveux parce qu'il l'avait confondue avec une autre. Mais attention! Pontevin est rusé! Tout le monde suppose que son récit comique masque une vérité beaucoup plus flatteuse. Les auditeurs lui envient sa petite amie qui réclame de la brutalité et imaginent, jaloux, une jolie dactylo avec laquelle dieu sait ce qu'il fait. Tandis que si Vincent raconte l'histoire de la feinte copulation au bord de la piscine, tout le monde le croira et rira de lui et de son échec.

Il fait les cent pas dans la chambre et essaie de corriger un peu son histoire, de la remodeler, de lui rajouter quelques touches. La première chose à faire est de transformer le coït simulé en coït véritable. Il imagine les gens qui descendent vers la piscine, étonnés et séduits par leur étreinte amoureuse; ils se déshabillent en hâte, les uns les regardent, les autres les imitent et quand Vincent et

143

Julie voient autour d'eux une superbe copulation collective en plein déploiement, avec un sens raffiné de la mise en scène ils se lèvent, regardent encore quelques secondes les couples qui s'ébattent, puis, tels des démiurges qui s'éloignent après avoir créé le monde, ils s'en vont. Ils s'en vont comme ils se sont rencontrés, chacun dans une direction différente, pour ne se revoir jamais.

À peine les terribles derniers mots « pour ne se revoir jamais » lui sont-ils passés par la tête que son membre se réveille ; et Vincent voudrait se frapper la tête contre le mur.

Voilà qui est curieux : pendant qu'il inventait la scène de l'orgie, sa sinistre excitation s'éloignait ; par contre, quand il évoque la vraie Julie absente, il est de nouveau excité à la folie. Il se cramponne donc à son histoire d'orgie, il l'imagine et se la raconte encore et encore : ils font l'amour, les couples arrivent, les regardent, se déshabillent et, autour de la piscine, il n'y a bientôt plus que la houle d'une copulation multiple. Enfin, après plusieurs répétitions de ce petit film pornographique il se sent mieux, son membre redevient plus raisonnable, presque calme.

Il imagine le Café gascon, ses copains qui l'écoutent. Pontevin, Machu exhibant son séduisant sourire d'idiot, Goujard plaçant ses remarques

144

érudites, et les autres. En guise de conclusion il leur dira : « Mes amis, j'ai baisé pour vous, toutes vos bites étaient présentes dans cette partouse superbe, j'ai été votre mandataire, j'ai été votre ambassadeur, votre député baiseur, votre bite mercenaire, j'ai été une bite au pluriel ! »

Il arpente la chambre et répète la dernière phrase plusieurs fois à voix haute. Bite au pluriel, quelle magnifique trouvaille ! Puis (la désagréable excitation a déjà entièrement disparu) il prend son sac et sort.

47

Véra est allée payer à la réception et moi je descends avec une petite valise vers notre voiture garée dans la cour. Regrettant que la vulgaire Neuvième Symphonie ait empêché ma femme de dormir et ait précipité notre départ de cet endroit où je me sentais si bien, je jette autour de moi un regard nostalgique. Le perron du château. C'est là que le mari, poli et glacial, est apparu pour accueillir son épouse en compagnie du jeune chevalier quand le carrosse s'y est arrêté au début de la nuit. C'est là que, quelque dix heures plus tard, sort le chevalier, seul maintenant, sans personne pour l'accompagner.

Après que la porte de l'appartement de madame de T. se fut refermée derrière lui, il a entendu le rire du Marquis auquel, bientôt, un autre rire, féminin, s'est joint. Pendant une seconde il a ralenti le pas : pourquoi rient-ils ? se moquent-ils de lui ? Puis il ne veut plus rien entendre et, sans tarder, se dirige vers la sortie ; pourtant, dans son âme, il entend toujours ce rire ; il ne peut s'en débarrasser et, en effet, jamais il ne s'en débarrassera. Il se souvient de la phrase du Marquis : « Tu ne sens donc pas tout le comique de ton rôle ? » Quand, au petit matin, le Marquis lui a posé cette question malicieuse il n'a pas bronché. Il savait le Marquis cocufié et se disait avec gaieté que madame de T. ou bien était en passe de quitter le Marquis et qu'il la reverrait sûrement, ou bien qu'elle avait voulu se venger et qu'il la reverrait probablement (car qui se venge aujourd'hui se vengera aussi demain). Cela, il a pu le penser il y a encore une heure. Mais après les derniers mots de madame de T. tout est devenu clair : la nuit resterait sans suite. Point de lendemain.

Il sort du château dans la froide solitude matinale ; il se dit que rien ne lui reste de la nuit qu'il vient de vivre, rien que ce rire : l'anecdote va circuler, et il deviendra un personnage comique. Il est notoirement connu qu'aucune femme ne

146

convoite un homme comique. Sans lui demander la permission, ils lui ont mis un chapeau de pitre sur la tête et il ne se sent pas assez fort pour le porter. Il entend dans son âme la voix de la révolte qui l'invite à raconter son histoire, la raconter telle qu'elle a été, la raconter à haute voix et à tout le monde.

Mais il sait qu'il ne pourra pas. Devenir un mufle, c'est encore pire qu'être ridicule. Il ne peut pas trahir madame de T. et il ne la trahira pas.

48

C'est par une autre porte, plus discrète, menant à la réception, que Vincent sort dans la cour. Il s'efforce toujours de se réciter l'histoire de la partouse près de la piscine, non plus pour son effet désexcitant (il est déjà très loin de toute excitation) mais pour en recouvrir le souvenir insupportablement déchirant de Julie. Il sait que seule l'histoire inventée peut lui faire oublier ce qui s'est réellement passé. Il a envie de raconter sans tarder et à haute voix cette nouvelle histoire, de la transformer en une fanfare solennelle de trompettes qui rendra nulle et non avenue la misérable simulation du coït qui lui a fait perdre Julie.

« J'ai été une bite au pluriel », se répète-t-il et,

en réponse, il entend le rire complice de Pontevin, il voit le sourire séduisant de Machu qui lui dira : « Tu es une bite au pluriel et on ne t'appellera plus désormais autrement que Bite-au-pluriel. » Cette idée lui fait plaisir et il sourit.

En se dirigeant vers sa moto garée de l'autre côté de la cour, il voit un homme, un peu plus jeune que lui, vêtu d'un costume appartenant à une époque lointaine, et qui vient dans sa direction. Vincent le fixe, stupéfait. Oh, à quel point doit-il être sonné après cette nuit insensée : il n'est pas en mesure de s'expliquer raisonnablement cette apparition. Est-ce un acteur en costume historique ? En relation peut-être avec cette bonne femme de la télévision ? Peut-être ont-ils filmé hier, au château, un clip publicitaire ? Mais quand leurs yeux se rencontrent il voit dans le regard du jeune homme un étonnement si sincère qu'aucun acteur n'en serait jamais capable.

49

Le jeune chevalier regarde l'inconnu. C'est surtout le couvre-chef qui attire son attention. Ainsi casqués, il y a deux, trois siècles, les chevaliers étaient censés aller à la guerre. Mais non moins surprenante que le casque est l'inélégance de l'homme. Un pantalon long, large, sans aucune forme, comme seuls les paysans très pauvres pourraient en porter. Ou, peut-être, les moines.

Il se sent fatigué, à bout de forces, à la limite du malaise. Peut-être dort-il, peut-être rêve-t-il, peut-être délire-t-il. Enfin, l'homme est tout près de lui, ouvre la bouche et prononce une phrase qui le confirme dans son étonnement : « Tu es du XVIIIe ? »

La question est curieuse, absurde, mais la façon dont l'homme l'a prononcée l'est encore plus, avec une intonation inconnue, comme s'il était un messager venu d'un royaume étranger et qui aurait appris le français à la cour sans connaître la France. C'est cette intonation, cette prononciation invraisemblables qui ont fait penser au chevalier que cet homme peut vraiment provenir d'un autre temps.

« Oui, et toi ? lui demande-t-il.

— Moi ? Du XXe. » Puis il ajoute : « La fin du XXe. » Et il dit encore : « Je viens de vivre une nuit merveilleuse. »

La phrase a frappé le chevalier : « Moi aussi », dit-il.

Il imagine madame de T. et se sent soudain envahi d'une vague de gratitude. Mon Dieu, comment a-t-il pu prêter une telle attention au rire du

Marquis ? Comme si la chose la plus importante n'était pas la beauté de la nuit qu'il vient de vivre, la beauté qui le tient toujours dans un tel enivrement qu'il voit des fantômes, confond les rêves avec la réalité, se trouve lancé hors du temps.

Et l'homme au casque, avec sa drôle d'intonation, répète : « Je viens de vivre une nuit tout à fait merveilleuse. »

Le chevalier hoche la tête comme s'il disait oui, je te comprends, ami. Qui d'autre pourrait te comprendre ? Et puis, il y pense : ayant promis d'être discret, il ne pourra jamais dire à personne ce qu'il a vécu. Mais une indiscrétion après deux cents ans est-elle encore une indiscrétion ? Il lui semble que le Dieu des libertins lui a envoyé cet homme pour qu'il puisse lui parler ; pour qu'il puisse être indiscret en tenant en même temps sa promesse de discrétion ; pour qu'il puisse déposer un moment de sa vie quelque part dans l'avenir ; le projeter dans l'éternité ; le transformer en gloire.

« Tu es vraiment du XXe siècle ?

— Mais oui, mon vieux. Il se passe des choses extraordinaires dans ce siècle. La liberté des mœurs. Je viens de vivre, je le répète, une nuit formidable.

— Moi aussi », dit encore une fois le chevalier, et il s'apprête à lui raconter la sienne.

« Une nuit curieuse, très curieuse, incroyable »,

répète l'homme au casque qui fixe sur lui un regard lourd d'insistance.

Le chevalier voit dans ce regard l'opiniâtre envie de parler. Quelque chose le dérange dans cette opiniâtreté. Il comprend que cette impatience de parler est en même temps un implacable désintérêt à écouter. S'étant heurté à cette envie de parler, le chevalier perd aussitôt le goût de dire quoi que ce soit et, d'un coup, ne voit plus aucune raison de prolonger la rencontre.

Il éprouve une nouvelle vague de fatigue. Il se caresse le visage de la main et sent l'odeur d'amour que madame de T. a laissée sur ses doigts. Cette odeur provoque en lui de la nostalgie et il désire être seul dans la chaise pour lentement, rêveusement, se faire porter vers Paris.

50

L'homme au costume ancien semble à Vincent très jeune et donc presque obligé de s'intéresser aux confessions des plus âgés. Quand Vincent lui a dit par deux fois « j'ai vécu une nuit merveilleuse » et que l'autre a répondu « moi aussi », il a pensé entrevoir dans son visage une curiosité, mais ensuite, subitement, inexplicablement, elle s'est éteinte, recouverte d'une indifférence presque arrogante. L'atmosphère amicale favorable aux confidences a duré à peine une minute, et s'est évaporée.

Il regarde le costume du jeune homme avec irritation. Qui est, en fin de compte, ce pantin ? Les souliers aux broches d'argent, le caleçon blanc qui moule les jambes et les fesses, et tous ces indescriptibles jabots, velours, dentelles qui couvrent et ornent la poitrine. Il prend entre deux doigts le ruban noué autour du cou et le regarde avec un sourire qui veut exprimer une admiration parodique.

La familiarité de ce geste a mis l'homme au costume ancien en rage. Son visage se crispe, plein de haine. Il balance sa main droite comme s'il voulait gifler l'impertinent. Vincent lâche le ruban et recule d'un pas. Après lui avoir jeté un regard de dédain, l'homme se détourne et va vers la chaise.

Le mépris qu'il a craché sur lui a replongé Vincent loin en arrière dans son trouble. Brusquement, il se sent faible. Il sait qu'il ne saura raconter à personne l'histoire de la partouse. Il n'aura pas la force de mentir. Il est trop triste pour mentir. Il n'a qu'une seule envie : oublier vite cette nuit, toute cette nuit gâchée, la gommer, l'effacer, l'anéantir — et à ce moment il éprouve une inassouvissable soif de vitesse.

D'un pas déterminé, il se hâte vers sa moto, il désire sa moto, il est plein d'amour pour sa moto, pour sa moto sur laquelle il oubliera tout, sur laquelle il s'oubliera lui-même.

51

Véra vient s'installer dans la voiture à côté de moi.

« Regarde, là, lui dis-je.

— Où ?

— Là ! C'est Vincent ! Tu ne le reconnais pas ?

— Vincent ? Celui qui monte sur la moto ?

— Oui. J'ai peur qu'il ne roule trop vite. J'ai vraiment peur pour lui.

— Il aime rouler vite ? Lui aussi ?

— Pas toujours. Mais aujourd'hui, il roulera comme un fou.

— Ce château est hanté. Il portera malheur à tout le monde. Je t'en prie, démarre !

— Attends une seconde. »

Je veux encore contempler mon chevalier qui se dirige lentement vers la chaise. Je veux savourer le rythme de ses pas : plus il avance, plus ils ralentissent. Dans cette lenteur, je crois reconnaître une marque de bonheur.

Le cocher le salue ; il s'arrête, il approche les doigts de son nez, puis il monte, s'assoit, se blottit dans un coin, les jambes agréablement allongées, la chaise s'ébranle, bientôt il s'assoupira, puis il se réveillera et, pendant tout ce temps, il s'efforcera de rester au plus proche de la nuit qui, inexorablement, se fond dans la lumière.

Point de lendemain.

Point d'auditeurs.

Je t'en prie, ami, sois heureux. J'ai la vague impression que de ta capacité à être heureux dépend notre seul espoir.

La chaise a disparu dans la brume et je démarre.

Composition Bussière
et impression B.C.I.
à Saint-Amand (Cher), le 27 mars 1995.
Dépôt légal : mars 1995.
1er dépôt légal : décembre 1994.
Numéro d'imprimeur : 4/249.
ISBN 2-07-074135-4./Imprimé en France.